残されたものたちの戦後日本表現史

山本昭宏
Yamamoto Akihiro

青土社

残されたものたちの戦後日本表現史　目次

はじめに　「残されたもの」としての世界　9

第1章　〈異形〉は語る——水木しげると「傷痍復員兵」　15

第2章　植民地主義と「亡霊」——加藤泰・大島渚・高倉健　71

残されたものたちの戦後日本表現史

はじめに　「残されたもの」としての世界

世界は「残されたもの」だ――こう明言したところで、何を当たり前のことを言っているのかと呆れられるかもしれない。「もの」に傍点を付したのは「者とモノ」のふたつの側面を強調するためだが、これもまた平凡な事実だろう。人間・思想・制度から自然環境に至るまで、この社会は「残されたもの」で成り立っている。先人がいなければ私たちは存在しないし、先人が多様に手を加えた文化・環境は現在の私たちの選択可能性をおおきく規定している。どの部分を継承・改良し、どの部分を捨て去ってしまうにしても、どの部分が好きで、どの部分が嫌いであっても、私たち自身のその周囲の様ざまな物事は、そのほとんどが「残されたもの」なのだ。

本書の目的は、この世界を「残されたもの」として再把握しようとすることにある。あまりに当たり前すぎて、そうだと認識できていない物事を、改めて把握したいのである。「残されたもの」

を再把握するって、つまりは「歴史の話」ですか？　そう問う人もいるかもしれない。その問いには、次のように答えられる。つまり、この世界を「残されたもの」として再把握するという営みとは、「歴史」という言葉で私たちが理解しているものの根底にある、解釈の枠組み――別の言い方をするならば「歴史意識」――の自己点検を指しているのだ、と。(1)「残された者」とは過去を意味付ける解釈枠組を可能性として持つ者であり、その可能性によって、人はただのモノを「残されたモノ」として把握できる。そして、これもまた少し大袈裟な言い方になるが、この世界を「残されたもの」として再把握するという営みは、人間を人間たらしめている条件のひとつなのではないだろうか。

この社会を成立させるほとんどあらゆる物事が「残されたもの」だとして、その総体を一冊の本で論じきるのは不可能である。したがって、膨大な物事のなかから、論じる対象をある程度限定する必要がある。本書が扱うのは、基本的には有名性を獲得した戦争体験者たちによる表現だ。そのように限定する理由は、広く知られたメディア文化作品を論じる意義そのものに関わるのだが、それは「おわりに」で改めて述べるとして、まずここでは「残された者」としての戦争体験者たちが私たちに残した多様な表現を「残されたモノ」として捉えるという本書の根幹にある視座を確認するにとどめておく。

そもそも戦争体験には、長らく「記憶の継承」や「体験の重み」「伝達・表象の不可能性」という言葉が付随してきた。ただし、その人に固有の体験を他者に伝えることの困難さは、なにも戦争体験に限ったことではない。日常的な体験であっても、それを「体験した通り」に他者に伝えるのは、極めて難しい作業だ。振り返ってみれば、私たちは普段のコミュニケーションのなかで、「どのように表現すれば、どの程度まで伝わるのか」「どのように表現してもあの体験は伝わらないとして、では別のアプローチはないのか」というような試行錯誤を不断に行っている。

つまり、戦争経験を持つ表現者たちの戦争表現を読むことは、例外状況をサンプルにして「壮絶な」体験を追体験するということだけを意味しているわけではない。そうではなくて、社会・国家との関係のなかで一定の方向に押し出された諸個人の精神と身体が、戦後に自身の体験をいかに振り返り、いかに意味付け、どのように他人に伝えようとしたのかを知ろうとする試みでもあるのだ。

繰り返し強調しておくが、戦争の表現・伝達にみられる試行錯誤は、戦争に限らず、社会的コミュニケーションには必ずついて回るものである。なぜそれを強調するのか。それは日本社会が、「戦争体験の表現・伝達」を「特殊」なものとしてのみ理解しすぎているからだ。戦争体験は現代からすれば間違いなく「特殊」なものだが、「特殊」な体験を振り返って表現・伝達しようという試みは決して「特殊」ではない(また、本書の問題意識からやや逸れてしまうが、戦争を「特殊」なものとして遠ざけ続けていると、現に社会に定着する軍事的なものを視野の外に置くことになりかねない)。

以上のような考え方は、竹内好の影響を受けている。かつて竹内好は「共通の体験を、その共通性においてとらえようとすれば、当然、一般化を避けることはできない。一般化しなければ、喚起すべき記憶として定着しない」と述べた。[2] そのうえで、「あらゆる体験と同様に戦争体験もまた、それを特殊のワクに閉じこめて、一般性への解放を怠ったのでは、そもそも体験の意味をなさない。利用できる現在形に書きなおしてはじめて体験は体験たらしめられる」と付け加えている[3]。

戦争体験を「利用できる現在形」に書きなおすという作業は、有名無名を問わず、戦後を生きた人びとが続けてきたことだ。本書が第1章で扱う水木しげるや、第3章で扱う中沢啓治は、戦後の日常のなかで繰り返し再把握され、書きなおされた戦争体験のあり方をみるための格好の事例を提供してくれるだろう。知名度が高く、これまでにも語られてきたこのふたりの体験との向き合い方を、本書ではそれぞれ異なる角度から論じてみたい。

第2章で扱う朝鮮半島出身の旧・日本軍兵士の存在は、戦後の諸個人に対して、過去の体験の書きなおしを不断に迫るものだった。そのような「亡霊的記憶」は、竹内好に倣って言うならば、体験を一般性へと開放する契機として戦後日本に埋め込まれていたわけだ。しかしながら、一九六〇年代において、その存在はじゅうぶんに社会に意識されていたとは言えず、二〇〇〇年代においては「扱いづらい」ものになっていた。そうした状況で、表現者たちが朝鮮半島出身の旧・日本軍兵士たちのどの部分をどのように描いたのか、それもまた本書の検討課題である。

その他、本書では予定調和の表現を拒み続けた別役実や、わかりやすい反戦平和のメッセージに合わせて奇妙にゆがんだ空間を演出した大林宣彦を第4章で扱い、残された者が過去とどのように折り合いをつけて生きるのかを模索した高畑勲を第5章で取りあげることになる。

本書が最後の第6章で注目するのは戦争体験を持たない世代の表現者による戦争表現である。第

6章は、戦争体験者がいなくなる「ポスト戦争体験時代」に戦争がどのように物語されるのかという、近い将来の課題を念頭に置いて、現代の戦争表現のなかの「共感のテクノロジー」を論じる。戦争体験を「利用できる現在形」に書きなおすという実践は、実は現代日本社会のあちこちに存在する。たとえば、小倉康嗣が論じているのは現代の高校生が被爆者との対話を通して「原爆の絵」を描くというプロジェクトである。[4] あるいは、井上義和が指摘する「特攻体験の自己啓発的受容」もまた戦争体験を「利用できる現在形」に書きなおすという実践の現代的な表れだろう。[5]

残された者である私たちは、過去の残された者である戦争体験者たちが残した表現に、これまでどの程度向き合えてきただろうか。本書が扱う作品はいわゆる「有名」な表現者たちの手によるものだが、筆者は彼ら・彼女らの表現を鑑賞しなおすことで、戦争を振り返り続けた戦後社会の経験の一端を、明らかにしたいと考えている。

第1章　〈異形〉は語る――水木しげると「傷痍復員兵」

傷痍復員兵による廃墟ビル占拠

現在の南青山といえば富裕層とそれに憧れる人びとが集う地域として知られる。しかし、敗戦後から占領下にかけては、まだ戦災の傷痕が随所に残っていた。

一九四七年四月頃、南青山の一角に焼け残った廃墟ビルで、ある事件が起こる。東京都交通局所有の廃墟ビルを、男たちの一群が占拠したのである。男たちは「引揚傷痍者再生会」と名乗り、そこで共同生活を始めた。一九四七年四月一〇日の『読売新聞』は次のように報じている。

同会の言い分によると、借用方を交通局に申し込んだところ、六〇万円で売り物に出ているというので寄付金を募り買いとろうとしたところ、こんどは一〇〇万円に値上げされスッタモンダののちついに居すわりを通告、竹細工などをつくって共同生活を行っている。(1)

焼ビルに引揚傷痍者居坐り

都交通局との譲渡問題こじれる

満腹の五階建倉庫摘発

紙や繊維品・三分の一は不正品

【図版1】「焼ビルに引揚傷痍者居座り」『読売新聞』1947年4月10日。

当時の新聞は紙不足のため、一枚の裏表に印刷された全二頁の簡素なものだった。その限られた紙幅のなかで、この事件はそれなりのスペースを割いて報じられている。交通局側の主張は、六〇万円などと約束した覚えはなく「引揚傷痍者で気の毒だが不法占拠は困る」というものだった。

近年の都市史研究が明らかにするように、戦災後の日本各地では、当局やマス・メディアから「不法占拠」と呼ばれた都市空間の占拠が相次いでいた。[2] また、「引揚傷痍者で気の毒だが」という記事内の談話にあるように、当時の日本社会では、戦傷で身体が不自由になった元兵士たちへの同情の念が、ある程度共有されていた。『朝日新聞』の「引揚船」、『読売新聞』の「復員だより」など、当時の新聞は限られたスペースのなかで元兵士たちの復員情報を連日のように載せていた。それを考慮すれば、復員兵たちの帰国後の生活問題を『読売新聞』が社会問題として大きく取り上げたのも当然だった。それと同時に、復員兵たちによる犯罪も報じられており、元兵士たちはいわば「やっかいな存在」としても認知される場合もあった。

戦後社会と「傷痍軍人」

冒頭で紹介した廃墟ビル占拠事件の関係者が「傷痍者」だったことから、以下では、復員兵一般ではなく、「傷痍軍人」に話題を限定して議論を進めよう。「傷痍軍人」と戦後社会の関係を論じた植野真澄によれば、占領下の日本社会では、GHQの非軍事化政策の一環として、軍人恩給は廃止され、軍人援護は社会保障政策に組み込まれた。[3] 当時の「傷痍軍人」が置かれた状況を確認するために、具体的な事実を『日本傷痍軍人会十五年史』から抜き書きしておこう。

まず、一九四六年の勅令第六八号によって旧軍人への一切の恩給は停止された。傷痍軍人には身体障害の程度に応じて障害年金が支払われたが、じゅうぶんな額だったとは言えず（第一項症で五六〇〇円）、軽傷とされた「款症」については一六〇〇円の一時金が支払われるだけだった。かりに二〇二一年と一九四七年の消費者物価指数をもとに計算すると、当時の一六〇〇円は二〇二一年では約三万円である。

日本の非武装化と「平等な補償」を目指すというGHQ・日本政府は、無差別平等の原則で諸集団を扱おうとしたが、他の身体障碍者一般と同様の扱いを受けることは、傷痍軍人たちにとって受け入れがたいものだった（その後、傷痍軍人たちの運動によって、一九五二年に「戦傷病者戦没者遺族等援護法」が公布され、傷痍軍人への恩給は障害年金に引き継がれ、金額も引き上げられた）。

GHQとその意向をくんだ日本政府によるこうした「改革」は、国立病院の入院規定改定と診療費の有料化にまで及んだ。国立病院で療養中の「傷痍軍人」が、不満を抱くのは当然だった。その不満の表れとして、街頭募金活動が始まる。その発端は、一九四七年六月に実施された東京第二国立病院の患者たちによる募金活動だ。彼らは正業に就くための資金獲得のため、銀座の数寄屋橋で募金活動を開始したのである。

以後、限定的で不十分な国家補償に憤りを感じた「傷痍軍人」たちは、団体を結成し、抗議活動や請願活動を活発化させていく。戦後社会は、彼らの活動を概ね好意的に受け止めた。もっとも、先述したように、彼らに対する社会の同情は、彼らが戦争の犠牲者であるという認識だけではなく、もはや彼らは戦後日本に居場所を持たないという憐憫の情にも根差していたであろう。こうして、身体に障害を抱えた元兵士たちの生活問題は社会問題となったのである。[4]

本章の冒頭で確認した南青山の廃墟ビルで「居すわり」を敢行した「引揚傷痍者」たちの行動は、以上のような「傷痍軍人」たちの抗議運動のなかでも、最初期のものだったと言える。では、彼らはそのあとどうなったのだろうか。

占拠事件の顚末

一九四七年五月九日の『読売新聞』は、事件の顚末を次のように報じている。

南区青山南町六丁目交通局元営業所建物にたてこもっていた引揚傷痍者更生会（会長古谷敏夫氏）の家族持ち五世帯、独身者二二名は都民政局との話し合いにより家族持ちは北区赤羽元火薬庫の都引揚寮赤羽寮へ、独身者は中央区月島埋立地の同月島寮へそれぞれ移住し円満解決した。(5)

団体の名称表記が「再生会」から「更生会」に変わっているが、記事の内容から両者は同じ団体だと理解できる。廃墟ビルに居座った「引揚傷痍者」たちは、さしあたっては引揚住宅に居場所を得ることに成功したのだった。

この「引揚傷痍者更生会」のメンバーに、のちに漫画家になる水木しげるがいた。もっとも、当時はまだ水木を名乗っていない。ラバウルで左腕を失う戦傷を負い、国立相模原病院（旧・第三陸軍病院）で療養生活を送っていた元兵士の武良茂である。

水木しげるがそこにいたという理由を示すために、水木しげるのいくつかの自伝エッセイと自伝漫画『ボクの一生はゲゲゲの楽園だ』から、同時期の水木の足取りを追ってみよう。(6)

水木は国立相模原病院で知り合った熊谷という「片手がなく、残った手は指三本という男」に誘われて、まずは青山の旧海軍病院へ連れていかれた。そこで仲田という片手がない男に、一緒に事業をやらないかと呼びかけられる。仲田は「ぼくの背後には古谷という偉い人がいるのです」と主張したという。(7) 翌日、言われた通り旧陸軍兵舎跡の一角に行くと、そこでは「新生会」を名乗る団

【図版2】『水木しげる漫画大全集 098 ボクの一生はゲゲゲの楽園だ（上）』（講談社、二〇一七年）より、廃墟ビル占拠の場面。

体の会合が開かれていた。

水木は「新生会」について、次のように回想している。「何のことはない、引揚者や傷病兵たちの圧力団体を作って、国からいくばくかの助成金をせしめようというチャチな秘密結社。会長なる大人物というのが、上海で土木事業をやっていて片腕を切断したという四十歳ほどの小男。この会長は小谷《ママ》氏といった[8]」。

水木の回想と、本章冒頭に掲げた新聞記事とでは、情報に微妙な違いがあることに気づく。「更生会」が「新生会」に変わっていたり、会長の名前も「古谷」や「小谷」になっていたりと表記に一貫性がない。この違いが、プライバシーの配慮によるものなのか、記憶違いによるものなのかはわからないが、水木しげるの弟・幸夫の回想では、やはり「新生会」と表記されている[9]。

水木しげるの回想に戻ろう。水木が参加した会合では、会を発展させるためには建物が必要だという話になり、青山に交通局の焼けビルがあるのでそこを「占領」することになった。翌日の夜、彼らはムシロ数枚を持って焼けビルを「占領」する。その後、東京都交通局と焼けビルの値段を交渉した会長が「東京都は金がなかったら月島の引揚者用の寮が空いているからそこへゆけというのだ」と発言し、その案を採用して七人で月島に移動したのだった。

以上にみたように、名称が微妙に異なるものの、青山にある交通局の焼けビルや、「竹細工などをつくって共同生活」という新聞記事の記述、さらには月島の寮の記述が一致するため、新聞報道が述べる「引揚傷痍者再生会」に水木がいたと考えて間違いないだろう。

水木の自伝漫画には、ビルを「無血占拠」した男たちが「バンザーイ」と喜ぶ様子が描れていた。彼らの姿は、あたかも戦場で敵陣を制圧したかのようであり、兵士の思考が残存していたことを示しているように読める。「不法占拠」と呼ばれたこの行為は、そこに居る法的権利を持たない者たちが、自らの身体をさらして社会的主張を行うという、素朴かつ強力な抗議活動である。敗戦によってかつての「法」が解体され、復興の過程で新たに「法」が構築されつつあったが、その間隙を縫うかのようにして、戦傷を負った元兵士たちが、生活のために自身の姿をアピールしていたと理解できるだろう。

左手をなくした元兵士としての水木しげるが戦後に経験した様ざまな生活苦については、水木自身の回想記や回想漫画で広く知られている。ただし、それらは水木が大手出版社の週刊少年漫画誌で「成功」したあとに回顧されたものだ。それに対して、本章では、主に一九五〇年代から六〇年代の作品を取り上げ、従来の水木論から得られた知見を踏まえながら、作品のなかに当時の水木の思想を読み取っていきたい[10]。廃墟ビル占拠後の水木は、いかにして漫画家になったのだろうか。彼は生活苦のなかで、何を書き続けていたのだろうか。

水木しげるの来歴

彼の来歴は、本章の後半でおこなう作品分析にとっても不可欠な要素であるため、やや長くなるが整理しておきたい[11]。

水木は一九二二年に大阪で生まれ、鳥取県境港で育った。一九三七年三月に境小学校高等科を卒業し、就職のために大阪に出る。その後、印刷会社と版画会社で働くが続かず、翌年に大阪の上本町にあった美術学院に入学。桃谷に住み、学校に通い始めたが、学校は二日に一度しかなく、授業は一時間程度だったという。自由に絵を描く時間があったため、自分で漫画や絵本を描きためていた。その後、父親が丹波篠山に家を借りたため、水木もそこに同居することになったが、丹波から大阪への遠距離通学が辛くなり、学校を休みがちになった。

しかし、画家になりたいという夢を諦めたわけではなかった。水木は東京の美術学校に入りたいと考えるようになる。美術学校に入学するためには中等学校の卒業資格が必要だったが、水木はそれを有していなかったため、卒業資格を得る目的で一九三九年に大阪府立園芸学校を受験するのだが、不合格。就職活動に舵を切るが、新聞の求人欄で見つけた松下電器の守口工場に採用されるも、すぐに辞めてしまう。続いて、西淀川区の新聞配達所に住み込みで働き始めたが、やはりここも長くは続かなかった。一九四〇年には、日本工業学校採鉱科に入学するも半年で退学。その後、一九四一年に日本大学附属大阪夜間中学に入学している。学校や職場といった制度的かつ規則的集団と水木との相性は極めて悪かった――略歴をみる限りではそう言えそうだ。

そんな水木の生活にも、戦争の影が差す。水木は一九四二年秋に西宮で徴兵検査を受け、近視のために乙種合格。一九四三年四月に臨時招集の令状が来て、五月一日に鳥取連隊に入営、歩兵第一二一連隊に所属した。ラッパが上手く吹けず、配置換えを希望すると、北か南かと希望を問われ、南と答えたことから南方行きが決定した。一〇月一日に歩兵第一三六連隊に転属。岐阜を経由して、門司港から輸送船に乗り、パラオ経由でニューブリテン島のココボに上陸。ここで、第三八師団歩兵第二二九連隊に転属している。第三八師団は、ガダルカナル島奪還作戦に挑んだが、一九四三年一月にガダルカナル島から撤退し、その後はラバウルの防衛にあたっていた。

ニューブリテン島上陸以降の足取りについては、『水木しげるのラバウル戦記』(筑摩書房、一九九四年)に詳しいため、ここでは端的に整理するにとどめておこう。ニューブリテン島への上陸直後は、命の危険を感じることもほとんどなく、珍しい自然に囲まれて気楽な日々を過ごした。その後、トーマという場所でガダルカナルから「転進」してきた中隊に配属される。トーマでは

「パウル」と名乗る現地人と親しくなり、バナナやパンの実をもらったという。[12]その後、ズンケンに移動し、そこから水木を含む十数名の部隊がバイエンへと進出した。そのバイエンで、水木たちは原住民たちの襲撃を受け、水木だけが生き残った。一九四四年五月のことである。虫の息でズンケンまで戻ったが、「なぜおまえだけ戻ってきた」となじられたという。その後、マラリアにかかって寝込んだあと、左腕を切断する手術を受けた。[13]傷病兵はナマレという場所に集められていたが、そこで原住民のトーライ族（Tolai）との交流が始まった。原住民の村に行くことは軍律違反だったが、それでも水木は村に通った。

敗戦後、水木は現地で除隊してトーライ族と暮らすことを考えるが、軍医の説得を受けて翻意する。「七年後に戻る」という約束をトーライ族とのあいだに交わして、トーマの捕虜収容キャンプに入った。水木は、そこで「戦争を描き残す」という作業を始めている。紙と鉛筆を手に入れ、元兵士たちや現地人たち、そしてラバウルの自然を写生しているのだ。[14]その後、トーマからガゼル集団キャンプへと移り、帰還船の順番を待った。

トーライ族との出会い

ところで、水木が惹かれたトーライ族とはどのような人びとだったのだろうか。

トーライ族は、パプア・ニューギニアの東ニューブリテン州ゲゼル半島を中心に居住しており、その数は現在、二〇万人以上だと推定されている。[15] 文化人類学者たちはながらくトゥブアンと呼ばれる仮面や貝貨など、トーライ族の伝統的な習俗に関心を払ってきた。

トーライ族と日本軍との関係は複雑である。一九四二年にラバウルに上陸した直後の日本軍は、トーライ族と友好関係を築こうとしたが、米軍の反撃によって補給線が断たれると、トーライ族への統治は厳しさを増した。人類学者のエプスタインによれば、日本軍は貝貨を集めて海に捨て、聖書を取り上げてトイレットペーパーに使ったという。[16] 食料や医薬品にさえ困るようになったトーライ族のなかには、日本軍のスパイや下働きとして雇われ、兵士たちと友好関係を築いた者もいた。他方で、それが原因で、仲間から中傷を受けたり、オーストラリア軍に身柄を拘束されたりする者も出たという。

トーライ族と交流を持った兵士は水木一人に限らないが、水木の場合は彼が軍隊組織の「落ちこぼれ」だったという個性が、特別な交流を生むきっかけになったと考えられる。軍隊の規律についていけなかった水木は、本人がどの程度自覚していたかは別として、消極的なサボタージュを続けているような状態だった。学生としても労働者としても兵士としても「怠け者」の烙印を押されてきた水木は、軍隊を抜け出してトーライ族と交流する過程で、彼らの生活に一種の羨望を抱くようになった。後年になって、水木はトーライ族を次のように説明している。

彼らは、文明人と違って時間をたくさん持っている。時間を持っているというのは、その頃の彼らの生活は、二、三時間畑にゆくだけで、そのほかはいつも話をしたり踊りをしていたからだ。月夜になぞ何をしているのかと行ってみたことがあったが、月を眺めながら話をしていた。

まァ優雅な生活というやつだろうか、自然のままの生活というのだろうか。ぼくはそういう土人の生活が人間本来の生活だといつも思っている。(17)

食べる分だけを労働から得れば、あとは悠然と時間を過ごす日々。原住民たちとの夢のような時間は、戦後の窮乏生活で繰り返し回想されることで美化され、水木のなかで「南方願望」「南方ユートピア」として純化されていくことになる。

貧しい美大生から水木荘の管理人へ

水木の来歴に戻ろう。一九四六年三月、水木は駆逐艦・雪風で日本に帰ってきた。

水木は浦賀に上陸したあと、そのまま国立相模原病院に入院している。病室は広い馬小屋のようなところで、傷痍復員兵が五〇人ほど集まっていたという。入院当初は「生きてるということが、バカにたのしかった」「天国にいるような気持ちだった」ようで、それを水木自身は「南方ボケ」だったと回想する。(18)

一九四七年には、本章の冒頭で確認した焼けビル占拠と月島への移動があった。月島時代には、数寄屋橋で募金集めをしたり、築地の魚屋から権利を買って魚屋を始めたりと、忙しい日々を過ごしたようだ。しかし、生活は安定しなかったし、仲間たちから独立したいと考えるようになった。こうして、水木は、一九四八年頃に魚の配給権を「新生会」の本橋という男に譲渡し、一九四九年春に吉祥寺に引っ越した。引っ越しの理由は、前年に受験して合格していた武蔵野美術学校に通うためだった。東京の美術学校に入るという夢がかなったのである。

このタイミングで、水木は輪タク業を始めた。自転車の後部に客車を取り付けた自転車タクシーを複数所有し、それを運転手たちに貸すという仕事だった。生活のための仕事が忙しく、美術学校にはほとんど通えなかったというが、試験のために提出した油絵では、椰子の木の下で寝ているトーライ族を描いたという。[19] トーライ族との交流を自らの芸術の核心に据えようと考えていたのだろうか。

一九四九年には、絵に見切りをつけて、吉祥寺の部屋を引き払い、募金を集めながら東海道を下るという計画を実行に移している。「新生会」のときの仲間との二人旅だった。汽車に乗って行けるところまで行き、金が無くなったら下車して募金活動をする。これの繰り返しで大阪までたどり着き、仲間と別れた水木は一人で神戸に向かった。

そこで宿泊した神戸・兵庫区の旅館が水木の運命を変えることになる。その旅館が売りに出ていたため、水木はまずは頭金のみを支払って旅館を買い、アパートとして経営することを決めてしまう。一九五〇年春のことだった。水木通りにあったことから、アパートを「水木荘」と名付けた。[20]
水木荘の最初の間借り人は、紙芝居作者だった。彼の導きで、水木は紙芝居の世界に足を踏み入れることになる。成り行きまかせの人生だったとも言えるが、少なくとも復員後は、腕を失くした元兵士が、生計と目標とをともに追いかけたという足跡を確認できる。そして、水木はここでようやく絵を描くことを生業にするようになった。もっとも、旅館購入のための借金の返済に加え、BC級戦犯として巣鴨に収監されていた長兄の家族を養わねばならず、以前として生活苦は続いた。しかし、若き日に夢見た画家とは異なっていても、水木は絵を描く仕事にありついたのだった。

紙芝居と貸本漫画

紙芝居時代の水木の代表作は、『墓場の鬼太郎』である。紙芝居演者・鈴木勝丸と紙芝居作者・加太こうじとの交流のなかで、水木は一九五四年頃から、『墓場の鬼太郎』を描き始めた。鈴木が勧めたのは、戦前の紙芝居『ハカバ奇太郎』（伊藤正美原作・辰巳恵洋作画、ハカバキタローとカタカナ表記の場合もある）の再解釈だった。水木は紙芝居『蛇人』で初めて鬼太郎を登場させ、それが最初のヒット作となったという。そのほか、怪奇モノでは『猫娘』『化烏』、怪獣モノの『巨人ゴジラ』、ユーモア系では『一つ目小僧』『チビ武蔵』、戦記物の『南十字星』などの紙芝居を描いたというが、当時の作品はほとんど残っていない。[21]

紙芝居制作は過酷な仕事だった。ほぼ毎日、一巻分（一〇枚）を描かねばならず、物語を始めてしまったら容易にやめられないからだ。子どもの支持を失うと、紙芝居のスルメやアメが売れず、それは紙芝居演者の生活に直結する。「何が何でも続け、ウケさせなければならないのだ。それを百巻かくとしたら、三カ月間、毎日、必ずおもしろい話を作り続けなければならないわけで、こんなおそろしい創作活動は、ちょっと他にはないだろうと思う」と水木は言う(22)。

どれだけ描いても生活が豊かにならない水木は、社会への恨みを溜め込んでいった。そして、その恨みを晴らしてくれるかのような映画に出会う。一九五四年一一月に公開された『ゴジラ』である。水木は『ゴジラ』のどこに惹かれたのだろうか。それは次の回想を読めば明らかである。

ぼくは「ゴジラ」が、東京に現れて、電車をムシャムシャと食べるさまを見て、ひどく喜んだ。「ゴジラ」が、貧乏人を救ってくれると、勘違いしたのだ。
とにかく、ぼくよりも幸福な人々が「ゴジラ」にいじめられるのが面白かった。
ぼくは三回見た。
そして、なんとか人間が「ゴジラ」になれないものか、と考えた(23)。

ゴジラによる都市破壊をスクリーンで観て、「貧乏人を救ってくれる」と受け止めることができた観客はそれほど多くはなかっただろう。とにかく、水木は三回も観るほど『ゴジラ』に入れあげ、自作の紙芝居にも登場させた。

『巨人ゴジラ』という紙芝居では、悪い科学者によって善良な少年が「ゴジラ」になってしまい、自分の家に帰っても母親や妹が怖がって近づいてくれないという話や、悪い科学者が「ゴジラ」を原爆で殺そうとするという話を詰め込んで、紙芝居で百巻（百日分）続く人気作になった。

しかし、紙芝居画家を続けていても、生活が豊かになる兆しは見えなかった。それどころか、一九五〇年代末には少年向けの漫画雑誌が部数を伸ばしており、紙芝居の需要が減りつつあった。そこで、水木は紙芝居業界に見切りをつけて、単身での上京を決意する。加田こうじを頼り、貸本漫画家への転身を図るのである。その後、絵柄の試行錯誤を経て、『ロケットマン』（兎月書房、一九五八年）で貸本漫画家としてデビューする。

長くなったが、水木が貸本漫画家として出発するまでの来歴を辿ってきた。以下、貸本時代の水木の作品のなかから重要作を取り上げて多角的に論じ、作品の同時代的な意義を明らかにするという作業に移ろう。

「異形なる者の帰還」という主題

『ロケットマン』には、漫画家水木しげるの本質とでもいうべき主題がすでに表れている。その主題を「異形なる者の帰還」と呼んでおこう。まずは物語の梗概を確認する。

怪物になった上津戸博士（右）【図版3】と、新一の掌に乗る上津戸博士（上）【図版4】。ともに『ロケットマン』兎月書房、1958年。

宇宙空間に突如出現した「第二の月」。その調査のため、上津戸博士はロケットに乗り込む。しかし、燃料は片道分しか入っていなかった。彼のライバル・怒来博士が、上津戸を陥れるために、燃料を抜いていたのだ。ロケットはなんとか地球に不時着するが、上津戸博士の身体は「天体に存する無形の生物に占領」されていた。上津戸博士は、呼吸もできず、体温も死者と同じだが、それでも生きているという不思議な生命体になり果てていた。不時着したロケットに乗り込んできた怒来博士は、上津戸博士を海に捨てる。それでも上津戸は生きており、海底で怪物に変化してしまうのだった。怪物と化した上津戸博士は、息子の新一に真実を告げて怒来博士の陰謀を暴くため、日本に帰って来る。新一は若い科学者で、新物質を開発して怪獣となった父親に処方する。上津戸博士はもとの姿に戻るが、新一が新物質の分量を誤ったため、上津戸は掌に乗るほどの小さな体になってしまう。物語の最後は、子ども向けの貸本漫画らしく、科学の善用を訴える定型句で締められている。

『ロケットマン』で萌芽的に描かれた「異形なる者の帰還」は、その後も貸本漫画『怪獣ラバン』(暁星書房、一九五八年)でも繰り返されている。[24] この作品については、中条省平の簡にして要を得た解説「異形の者の悲しみ」(水木しげる『怪獣ラバン』小学館クリエイティブ、二〇〇九年)がある。以下、中条の議論に依拠して「異形」という主題に注目しつつ、本章が付け加えた「帰還」という主題も考慮して、『怪獣ラバン』の物語を紹介する。

ニューギニアにゴジラが出現したというニュースを受けて、「水木一郎」と「伊川二郎」という二人の科学者が調査団に参加する。ゴジラの血は生命の謎を解く重要な素材であり、団長はそれを入手するが、血を水木に託して絶命する。すると伊川はゴジラの血を自分の業績にするために水木に襲い掛かる。タイミング悪く、水木は原住民の毒矢を受け、ミイラのような外見になってしまう。二人は日本の船に助けられるが、船上で伊川は思い悩む。水木が生きていては、ゴジラの血を独り占めできないし、ニューギニアでの悪事が暴露されるかもしれない。それを防ぐには、ゴジラの血を水木に注射するしかない。伊川によってゴジラの血を注射された水木は、巨大なトカゲのような怪獣に変身し、海に消える。伊川は「水木が頭がへんになって自殺しました」と虚偽の報告をする。しかし、怪獣になった水木は日本に戻って来る。上陸後は自衛隊の攻撃を受けるが、それでも母親に会うために歩を進めるのだ。[25] その後、水木と伊川は実は兄弟だったが、戦災による混乱で生き別れたという事実が明らかになると、伊川は改心し、水木を人間の姿に戻して、ハッピーエンドとなる。

『ロケットマン』と『怪獣ラバン』を理解するためには、次のエピソードが重要である。水木は復員後の病院生活中に一時帰郷しているが、両親を驚かせないために帰郷の前に左腕がない自分の姿を描いて手紙を送ったというのだ[26]。このエピソードは、水木が映画『ゴジラ』の物語に何を付け加えたのかという問題に、明確な回答を与えてくれる。水木は「異形の者」が突然どこからかやってくるのではなく、「帰ってくる」という要素を付け加えたのである。その意味で、『ロケットマン』と『怪獣ラバン』は、水木の戦争体験に由来する物語だと言えるだろう。

なお、『怪獣ラバン』の物語の骨格は、のちの「鬼太郎モノ」の貸本漫画『ないしょの話』（東考

【図版5】『怪獣ラバン』暁星書房、1958年。

【図版6】『ないしょの話』東考社、1964年。

社、一九六四年）でも繰り返されている。二人の若き天才科学者がニューギニアへ調査に行くが、手柄を独り占めしようとした科学者が善良な科学者を怪物に変化させてしまうという話である。怪物になった科学者は日本に戻って来るが、両親は当然ながら怪物を家に入れようとはしない。『ロケットマン』『怪獣ラバン』『ないしょの話』。これら三作は、「異形の者」は最終的に人間に戻り、日常世界に「帰還」するという作劇が選ばれていた。これに対して、水木は『化鳥』（いずみ出版、一九六一年）という作品で、帰還に失敗する「異形の者」を描いている。

『化鳥』は、ムー大陸を研究する「博士」の物語である。博士は南洋調査団の一員として、一九四三年五月に門司港を出港する。(27) 博士が乗る調査船はパラオ近海で潜水艦の攻撃を受けて沈没するが、博士と助手は生き残って漂流し、キノコが生い茂る不気味な島に流れ着く。博士たちは、その島の地下で、ムー大陸の歴史を刻んだ石板と音楽を奏でる不思議な巨石を発見する。発見の喜びも束の間、博士たちは自分たちの体がキノコに寄生されていることに気づく。なんとか日本に戻って大発見を伝えたいと考えた博士は、ムー大陸の伝説に倣って、石に溜まった血を飲み、鳥に変身する。その後、一〇年の歳月をかけて日本に戻るのだが、自分の家に辿り着いたところで、鳥を父親だとは思わない息子にあっけなく撃ち落とされてしまうのだった。

一〇年もの長い時間をかけて帰国したのにもかかわらず、息子に撃ち落されるという救いのない物語には、帰還に失敗する「異形の者」の悲哀が凝縮されている。そこに、戦争体験者としての水木の静かな怒りや諦念が込められていると考えるのは、さほど的外れではないだろう。元兵士たちを決してあたたくは迎えなかった戦後日本社会に対する葛藤がかたちを変えて表現されているようにも読めるのである。

傍証として、『丸出だめ夫』などで知られる漫画家の森田拳次の回想を添えておこう。森田は、一九五八年前後のあるとき、貸本出版社の社長から水木の仕事を手伝うように言われ、水木の家を訪問したときの経験を次のように回想している。(28) 当時一人暮らしをしていた水木の部屋には、助手用の机さえなかったが、壁には戦闘帽と白衣が掛けてあった。水木は「「もしも、これ以上漫画で売れなければ、傷痍軍人やって稼ぐつもりさ」と丈夫な方の片手で白衣をさした」という。水木は一九五八年頃でもまだ白衣を捨てずに持っていた。戦後一三年の月日が流れても、自分は「傷痍軍人」だという意識が、水木の内部に根強く残っていたと推察可能であろう。左腕を失ったことによる戦後の苦難とそれをもたらした戦争の影は、水木の身体と精神に残り続けていた。「異形」に変身して帰還したり、帰還に失敗したりするという物語を繰り返し描くという作業を通して、水木は自らの体験を理解し直そうとしていたのではないだろうか。

貸本戦記漫画でのこだわり

貸本時代の水木が得意としたのは、戦記漫画と怪奇漫画だった。水木しげる研究の第一人者・平林重雄によれば、一九五八年から六五年までの八年間の貸本時代に水木が描いた戦記漫画は五五作

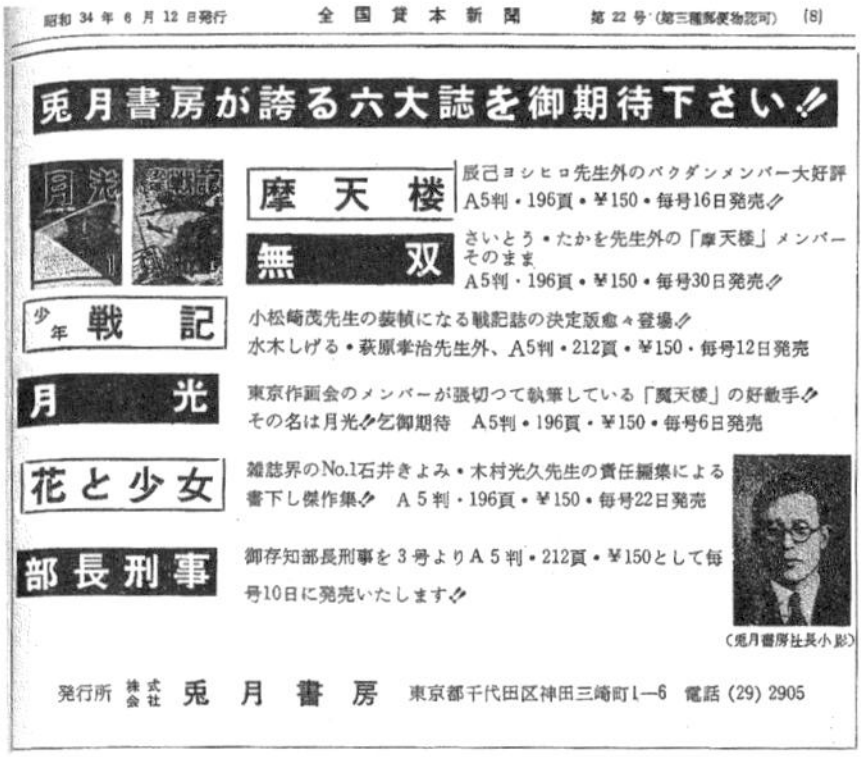

【図版 7】兎月書房の広告には、関西劇画の旗手たちによる『摩天楼』『無双』に並んで、水木しげるが編集していた『少年戦記』が取り上げられている。『全国貸本新聞』1959 年 6 月 12 日。

品を数える。五〇頁以上の長編が二一作、中編二二作、三〇頁以下の短編が一二作である。[29] 同時期にはそのほかにも鬼太郎シリーズや『貸本版 悪魔くん』、『河童の三平』なども描いていたのであり、そのなかで戦記漫画だけで八年間に五五作品を完成させていた。当時の水木のすさまじい執筆量をうかがい知ることができるだろう。

貸本出版社・兎月書房との関係も当時は良好だったようで、水木は貸本漫画誌『少年戦記』の編集を任せられている。ただし、それは水木が自由な発表媒体を与えられたことを意味してはいなかった。『少年戦記』を成功させないと、生活がままならないため、読者の期待に応える必要があった。紙芝居から貸本漫画へと舞台を変えても、読者である子どもの嗜好に合わせなければならないという事情は変わらなかったのだ。

貸本漫画の読者である少年たちが面白がって読んでくれるのは、ガダルカナル戦あたりまでだと水木は考えていた。[30] プロとしては、リアルな描画で日本軍の活躍を描く必要があったのである。そこで、水木は現実の戦場に架空の要素を付け加えるという方法を考案する。『必勝雷撃隊』ではジェット機を、『台風爆弾』では日本製の原子爆弾を登場させている。また、『印度洋作戦』では、クジラのような巨大な魚を日本とイギリスのパイロットが協力して打ち倒すという荒唐無稽な物語を展開した。

そもそも、当時の漫画では、作者が自らの体験や思想をそのまま描くなどということは基本的にほとんど想定されていなかった。漫画に表れた作者の体験や思想を「作品」として読者が認めるという土壌はなかったのである。四方田犬彦は、貸本時代に水木が量産した戦記漫画について次のように述べている。「初期水木は、筆舌に尽くしがたい戦争体験を心中に抱えながら、それを的確に表現する視座をまだわがものとするに至らず、貸本屋の商業的回路のなかでステレオタイプの物語を生産することを要求されていた」と。[31] 生活のためには痛快な勝ち戦を描いて読者の支持を得る必要があるが、それは自分の戦争体験とは異なる。しかし、自分の体験を描いたところで、それは貸本漫画の読者たちが求めるようなものにはならないだろう。そうしたジレンマを抱えていたのではないかという四方田の推測は鋭い。このような環境で描き続けられた戦記漫画だが、水木の思想や体験が投影された作品も少なからず存在する。以下、四作品をピックアップして、水木の思想と体験との関わりを確認する。

貸本漫画としてデビューした水木は兎月書房の貸本漫画を発表媒体にしてきたが、初めて他社で仕事をしたのが戦記漫画『〇《ぜろ》号作戦』（緑書房、一九五八年）である。[32] この作品は、パプア・ニューギニアのニューブリテン島を舞台にしており、水木の体験が明示的に書き込まれた作品だった。玉

【図版8】「水木しげる秘話シリーズ1　ダンピール海峡」『陸海空』第2巻、兎月書房、1959年。

砕した守備隊から生き延び、舞台に戻った主人公が参謀から詰問され、戦場逃亡で銃殺されそうになる場面や、現地人と敵兵に挟撃されて崖にぶら下がって切り抜ける場面などは、水木の体験に即している。敵兵の追撃を逃れるパートでは、緊張感ある描写があり、同時に荒唐無稽なアクションもある。

『台風爆弾』（兎月書房、一九五九年）では、秘密兵器の台風爆弾をアメリカ軍に持ち去られそうになる場面で、「大内大佐」が生身の体でグラマン戦闘機を止めようとする緊迫した描写がある。大佐の体は千切れ、「とび散った肉片がプロペラに巻きついた」と説明される。また、爆風とともに飛来した肉片を手にした主人公が、「みんなこんなになって散ってしまったんだ。さよなら、さよなら」と静かに涙する。子ども向けの貸本漫画としてはやや過剰とも思える残酷描写だが、そこには戦争体験者のこだわりを読み込むことができる。

さらに、「水木しげる秘話シリーズ1　ダンピール海峡」（『陸海空』第二巻、兎月書房、一九五九年）では、軍旗を死守しようとする日本兵の顔貌を描いている。米軍も「同じ軍人として深い尊敬」を抱いたと説明されるが、戦争が一人の人間を異形に変えてしまう様子を描いているようにもみえる。

「硫黄島の白い旗」(『戦記日本』第二巻、兎月書房、一九六二年)では、硫黄島での日米の戦闘が描かれているが、そこでは首や手が飛ぶ描写や、白旗を掲げて降伏しようとする兵士が上官に後ろから撃たれる場面がある。その直後、椿兵長がその上官に食ってかかると、上官は「天皇に代わってせいばつしてくれるわッ」と、椿に機関銃を放つ。そして、怒った椿は上官を斬る[33]。上官への憤りは、たんに作劇上の見せ場づくりというよりも、パプア・ニューギニアでの自身の体験を投影していたのではないだろうか。

以上の四作品はどれも少年向け貸本漫画のステレオタイプの域を出ないかもしれないが、戦場の残酷さや上官への怒りなど、戦争への思いが噴出する瞬間が書き込まれてもいた。当時の水木は三〇代後半から四〇歳に差し掛かる年齢だった。中年の水木が描く戦場には、生々しい迫力があり、そこには水木なりの表現の模索があったと言える。

「ルンペン」と鬼太郎の都市経験

貸本時代の水木の作品を振り返るとき、戦記漫画と並んで見過ごすことのできないのが、鬼太郎シリーズである。戦記漫画については水木の戦争体験との関わりを重視したが、鬼太郎シリーズについては、水木の戦後社会との関わりに留意して読み直してみたい。

ただし、鬼太郎シリーズにも戦争体験が刻印されているのは間違いない。たとえば、幽霊族の設定が挙げられる。鬼太郎は幽霊族の生き残りという設定なのだが、そもそも幽霊族とは、古代において人類との生存競争に敗れた種族を指す。敗れた種族に居場所がないという設定には、戦後社会に居場所を見つけるのに苦労した傷痍軍人たちの姿が重ねられていると理解することもできるだろう。さらに、死んだ父親の目玉だけが「生き残って」鬼太郎を見守る目玉のおやじになるという設定も、「異形なる者の帰還」の象徴として目玉のおやじを捉えていると理解できる。やはりここにも水木の戦中・戦後体験が刻印されているとみるべきだろう。

こうした戦争体験との関わり以上に重視すべきは、鬼太郎シリーズの根底にある戦後社会との緊張関係である。それはたとえば、鬼太郎とねずみ男が、住むところも仕事もなく、いつも腹を空かせているという初期の設定にも表れている。当時、水木は読者への返答として、鬼太郎とねずみ男の関係を次のように説明していた。


ネズミ男と鬼太郎は二人共人間の形をしていますが、人間以外の種類ですからその点において同族的友情をもち、親友なんですが、こと食物に関してはこの友情も破れるのです。何しろ彼等には定業はなく、いわゆるルンペンですから常にうえているわけです。(34)

鬼太郎とねずみ男を「いわゆるルンペン」で「常にうえている」と説明する水木は、彼らの姿に、自身の戦後の都市生活と、貸本漫画家としての「現在」の生活苦とを重ねていた。平林重雄が言うように、水木の漫画のなかでは「妖怪でさえ、借金に苦しみ、働かなければ人間社会では生きていけない」のである。(35)

平林の指摘に付け加えることがあるとすれば、鬼太郎とねずみ男の都市性だろうか。これまでにも繰り返し指摘されてきたことだが、都市は人間に自由を与える。しかし、都市生活は合理性や計算可能性が重視されるため、他者との結合は希薄になり、貨幣を介したその場限りの関係が増える。儀礼的な無関心によって自己を防衛する作法を内面化した個人は、消費生活の充足感のなかで、他者の希薄化を限りなく進展させてしまう。加えて、都市に流入してきた者の多くは、その当初において疎外感を抱きがちであり、多くの場合は自らの労働力以外に売るものを持たない。それゆえ労働に進んで身を投じることになるが、都市の賃金労働はやはり人間的結合を弱める方向に作用する。

そこから、「他人が人間だと感じられない」という感覚が個人の内部に生じる。人間はあるときにはモノとなり、またあるときには妖怪のような奇怪な他者となる。妖怪だって人間のようなものだし、人間だって妖怪のようなものだ——マクロな視座をとるならば、こうした他者認識が都市環境によって補強されると考えられる。水木が復員後に味わった都市生活と都市労働の悲哀が、鬼太郎とねずみ男を「ルンペン」になぞらえる視点を生んだと言えるのではないか。

鬼太郎が間借りする部屋は壁が崩れ、窓はひび割れしており、家具もない。働こうにも職はなく、

【図版 9】『鬼太郎夜話　第 3 話　水神様が町へやってきた』1961 年。

【図版 11】『墓場鬼太郎シリーズ 2　霧の中のジョニー』兎月書房、1962 年。

【図版 10】「墓場鬼太郎夜話　第二話　下宿屋」『墓場鬼太郎　第二集』兎月書房、1960 年。

家でゴロゴロして時間をつぶしている。『鬼太郎夜話』の第三話では、鬼太郎が「一日コッペパン一個のカロリーでは」と話し、ニセ鬼太郎が「じっとしないと体力がもたないぜ」と受ける場面がある。鬼太郎は、あるときには山小屋にゴザを敷いて眠りながら、事件が舞い込むのをただ待っているし、またあるときには、「わずかな掛け金で来世の幸福を約束する」という詐欺まがいの「あの世保険」の外交員をしている。

事情はねずみ男も同じである。ねずみ男が初めて登場するのは、「墓場鬼太郎夜話　第二話　下宿屋」(『墓場鬼太郎　第二集』兎月書房、一九六〇年)だが、そこで描かれるねずみ男は、容姿は文字通りねずみに似ており、身にまとう布は陰影が強調されて薄汚い。雇い主の吸血鬼に言われて隠れ家を探し歩く場面では、ねずみ男は杖をついている。この姿には、白衣を着て募金活動をしながら東海道を下っていた水木しげるの経験が投影されているようにも思える。その後、ねずみ男の姿は親しみやすいものに変わっていくが、鬼太郎と同じく、彼もまたいつも生活に苦しんでいた。

幽霊・商品・安部公房

幽霊族の鬼太郎が「あの世保険」の外交員として働き、ねずみ男がいつも金に困っているという設定について、若干の考察を付け加えてみたい。これらの設定は、水木の意図を離れて、商品の本質に関わる問題を提起していると思われるからだ。それは、「幽霊と商品」とでも言うべき、商品

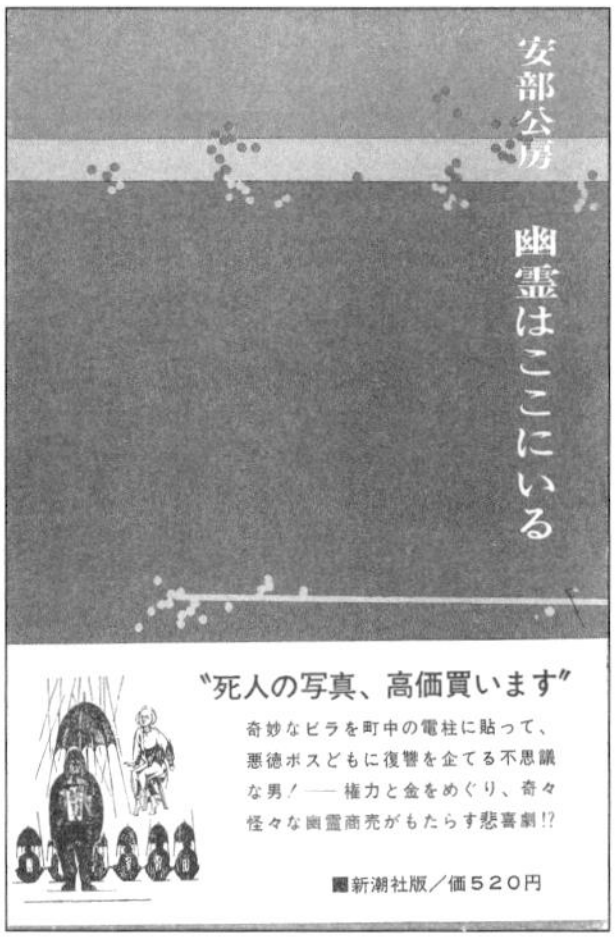

【図版12】安部公房『幽霊はここにいる』新潮社、1959年。

の本質に関わる次のふたつの問題である。

第一に、値段が付いたモノの取引の場では買い手と売り手の社会的・人間的属性は問われない。さらに、取引の場においては、買い手と売り手の身体さえも不要である。比喩的に言えば、社会的・人間的属性はいったん「死んで」いる。

第二に、これも当たり前のことだが、商品の値段は流動し続ける。価値があると思う者が増えれば、値段は上がるし、その逆ならば下がる。「遠くない未来の誰かがこのモノに価値を見出しているはずだ」という想定が集団的に共有されることで、商品の価値が成立する。値段とモノとの対応関係は時と場合によって変化するのであって、価値は本質的なものではなく、社会的なものである。

これら二点が示唆するのは、商品とその取引が成立する前提には、「幽霊的要素」が必要だということだ。つまり、商品の価値成立と取引の場では、特定の人間の社会的・人間的属性は限りなく希薄化するが、いま・ここの外側にいる何者かと交換できるはずだという想定によって「誰か」という他者の存在は強化される。幽霊的な他者の存在なしに、商品は成立しない[36]。

幽霊族の鬼太郎やねずみ男たちが人間社会でサービスや労働力を売る（働く）というのは、一面では痛切な皮肉だが、他面では商品成立のための「幽霊的要素」の奇怪さを見事に捉えていたと言えるのである。

水木が漫画を通して結果的に表現した「幽霊と資本主義」の思想を、同時代においてより明確に提示し得た文学者がいる。安部公房である。安部が発表した戯曲『幽霊はここにいる』（『新劇』一九五八年七月）は次のような物語だ。やや長くなるが、紹介しておこう。

戦友の幽霊がみえるという深川啓介と、詐欺師の大庭三吉との出会いが物語の発端である。深川は、南方戦線のジャングルで、ひとりの戦友を見殺しにした過去を持つ。その後、深川は、その戦友の幽霊が見えるようになり、いつもその幽霊と一緒に行動している。幽霊は生前の記憶を喪失するらしく、自分が何者かを理解していない。そこで、深川は死んだ人の写真を集め、幽霊と照合して、幽霊たちの身元を確定したいと願っていた。他方、詐欺師の大庭は、幽霊を利用して一儲けを企んでいた。

深川と大庭は、それぞれの思惑から、死人の写真の買い取るという事業を起こす。各家庭は死んだ家族の写真を所有しているものだし、それが金になるならば向こうから遺影を持ってくるだろうという算段である。この遺影買い取り事業が話題になると、大庭は事業を拡大する。まず、幽霊による講演会、幽霊による探偵業、幽霊による治療などを手掛ける。その後は、幽霊保険や幽霊服など、芋づる式に事業は拡大していく。さらに大庭は、事業が大きくなる過程で、市長や新聞社の社長を巻き込んでいく。ところが、それまで静かに従っていただけの戦友の幽霊が、深川を介して自己主張をするようになる。大庭の娘と結婚したい、市長になりたい……という要求を口にするのだ。

そこに吉田と名乗る老婆が戸籍謄本を持って訪ねて来る。その老婆は、戸籍謄本を示し、深川に向かってお前は自分の息子だと主張する。さらに、もう一人の闖入者が表れる。その人物は、自分は「深川啓介」だと名乗るのである。ここに至って、読者・観客は、奇妙な笑いのなかから、ある真実へと導かれる。

幽霊がみえると主張していた深川は、実は吉田だった。吉田は、過酷な戦線で精神をすり減らしてしまい、見捨てた戦友（深川）と自らを同一化して、自分は深川だと思い込んでいたのだった。しかも、深川は死んでいなかった。本物の深川と母親に会ったことによって混乱状態から脱すると、吉田（旧・深川）は、もう幽霊がみえなくなった。詐欺師の大庭たちは戸惑うが、もともと幽霊などいないとわかったうえでの虚業である。そのまま幽霊はいるということにしておけば、事業に支障はないのだった。

以上が『幽霊はここにいる』の筋書きである。この物語では、南方戦線で戦友を見殺しにしたという経験が幽霊の発生原因となっている。その幽霊を利用して儲けようとする男たちを戯画化した安部公房によるこの作品は、次のような意味で戦後日本社会を的確に捉えたと言えるだろう。それは「戦後」の基底に戦死者がいるという、ある意味では当然の認識だけではない。そうではなくて、実体がないものに価値を付けることで利益を膨らませるという実践が、その起点に幽霊という他者を（あるいは「死者が見える」と主張する人間を）必要とするという点にある。水木しげると安部公房とでは作家としての資質が異なるが、両者はともに戦後日本社会に幽霊という形象を置くことで、幽霊的存在と社会の関係を根本的に問うていたのだった。

以上、幽霊と資本主義という論点のなかで、水木しげると安部公房の作品を並置して論じたが、ここからはまた一九六〇年代の水木の作品に戻って、彼の思想を辿っていきたい。次の論点は、「社会変革の夢」である。扱う作品は、貸本時代の水木の集大成『貸本版 悪魔くん』（東考社、一九六三〜六四年）だ。

悪魔くんの「呪詛」と「革命」

「ルンペン」としての鬼太郎とねずみ男は、自分が人間ではないからか、人間社会への怒りを溜め込んだりはせずに飄々と暮らしていた。本章ではこれまでのところ触れられていないが、水木の代表作のひとつである『河童の三平』の三平も河童もタヌキも、様ざまな苦境を痛みとしては受け止めず、おおらかに生きているようにみえた。

これらの作品群に対して、『貸本版 悪魔くん』（東考社、一九六三〜六四年）では、世界変革を目指す主人公たちが描かれている。従来の水木作品における主要な登場人物たちの動機とは、明らかに様相が異なるのである。『鬼太郎』の怪奇要素を残しつつ、戦記ものと同様に現実社会と濃厚な接点を持たせた『貸本版 悪魔くん』。水木は、この作品をどのようにして構想したのだろうか。

執筆の背景は、水木の愛読者にはよく知られているため、ここでは簡潔にまとめておこう。水木と関わりの深い兎月書房が不渡りを出し、一九六二年に倒産したことが『貸本版 悪魔くん』誕生の遠因になった。原稿の買い手が倒産したため、水木は他社に原稿を持ち込むが、斜陽期の貸本業界には原稿を買ってくれる出版社はなかなかみつからない。そんな水木に手を差し伸べたのが、東考社の桜井昌一だった。桜井は、漫画家・辰巳ヨシヒロの兄としても知られる人物で、自身も貸本漫画家だったが、一九六〇年代に入って出版社を立ち上げ、漫画の出版を始めていた。桜井は水木の作風を評価しており、水木に発表の場を与えたいと考えていた。

水木にしてみれば、信頼に足る出版社で自らの構想を自由に展開する機会を得たわけであり、桜井にとっては、水木を起用して長編を描かせることで経営の安定化が見込める。こうして、全五巻を予定した『貸本版 悪魔くん』の執筆がスタートした。

しかし、水木と桜井の意気込みとは裏腹に、売れ行きはまったく振るわず、出版費用の補填さえままならない赤字となってしまう。売行不振を受けて、桜井は五巻の予定を三巻に縮めるように水木に伝えた[37]。これにより、物語は、変更を余儀なくされる。天才少年・悪魔くんが、魔法の力を借り、使徒とともに人間が平等に暮らせる世界を目指して奮闘するはずの物語は、悪魔くんの唐突な死によって頓挫してしまうのだった。

『貸本版 悪魔くん』は、漫画評論家たちの注目を集めた作品であり、すでに一定の評価が定まっている。代表的な評論を挙げておこう。漫画評論家の梶井純は、この作品に水木しげるの「呪詛」を読み込んでいる。梶井は、水木しげるが自らの「悲願」の実現不可能性を綴った「ある種のきびしさ」を持つ作品だとして、次のように続ける。

おそらく、『悪魔くん』は、むくわれていたとはいえない貸本マンガ家としての水木しげるが、貸本業界の不振によってさらにむくわれることのありそうになくなった時点で吐露した、呪詛であると同時に、ひらきなおりの様相をも見せてくれる。(38)

このように梶井は、『貸本版 悪魔くん』に当時の水木の苦境を重ねつつ、水木の社会への「呪詛」を読み取っている。漫画評論家の権藤晋も、梶井の評価を踏襲しつつ、寂寥感に覆われた『貸本版 悪魔くん』は「戦後大衆の怨念や呪詛の書」だと述べた。(39) 梶井と権藤は、貸本漫画や劇画が持つ「暗さ」をいち早く評価した評論家である。知識人による社会批判とは異なる「大衆の怨念や呪詛」に意義を見出す批評のスタンスは、六〇年代の知的潮流にも見合うものだった。

他方で、国文学者の高橋明彦は、悪魔くんの姿に、「孤独な革命集団の不可避的な試練」を読み込んでいる。(40) 信念を貫く者は崇高であると同時に滑稽でもある。しかも、「自らの可能性を証明できるかどうか保証のない中で、自分は疑似と見做されたまま死ぬかもしれないという恐怖を抱えて生きなければならない」。我が道を進む人間の「真性と疑似性」は、その者に本質的に内在するのではなく、それを視る側の視点に依存する。悪魔くんは「真性と疑似性の間で戦い続ける認識論的な存在としての救世主」だというのが、高橋の議論である。

以上の議論を踏まえて、本章もまた革命という主題に注目するが、先行論とは異なり、他の短編や『悪魔くん復活 千年王国』（『少年ジャンプ』に一九七〇年に連載された改稿版）なども分析対象として取り上げたい。より広い構えをとることで、一九六〇年代から七〇年代初頭にかけての水木の思想を辿ってみたいと考えるからである。

まずは『貸本版 悪魔くん』の物語のなかから、これからの議論に関わる箇所を取り出しておこう。悪魔くんの目標は、「人類の夢 万人が兄弟となる王国を実現」することだ。そのために悪魔を召喚し、契約を交わそうとする。それが序盤のハイライトである。しかし、苦労して呼び出した悪魔は、「そこいらの安サラリーマン」と変わらない、頼りない格好をしており、ニヤニヤと不敵に笑うのみだ。悪魔くんは九〇〇〇万円という大金と引き換えに悪魔を部下にするという契約を交わすのだが、悪魔は「人間にできることしかできない」と答える。つまり、四苦八苦して呼び出した悪魔は、何の役にも立たないのだった[41]。そこに、悪魔とは人間のことなのだという水木の冷めた認識を読み込むことは容易だろう。

他方で、悪魔くんの従者・ヤモリビトは、悪魔くんが実際に魔方陣から悪魔を呼び出したことに驚き、悪魔くんこそが「真の悪魔」だと確信するようになる。ヤモリビトはもともと悪魔くんの家庭教師で佐藤という名の人間だったが、謎の力によってヤモリビトに変化していた。

その頃、蓬莱島に住む八人の仙人たちは、世界の秩序が壊れることを恐れて悪魔くんの暗殺を画策していた。仙人と言えば普通の物語であれば主人公の味方になりそうなものだが、『悪魔くん』

では何を考えているのかわからない奇妙な存在として造形されている。仙人たちの指示を受けたフラン・ネールは、ヤモリビトに近寄っていく。フラン・ネールは、ヤモリビトは人間・佐藤に戻してやると、佐藤の説得に移る。悪魔くんを警察に密告するようにと佐藤を説き伏せるのである。曰く、悪魔くんは「東方の神童」などではなく、世界を救うどころか、混乱に陥れている。悪魔くんを警察の手に渡せば、迫りくる危機を脱して、君は自由になり三〇〇〇万円を手にするだろう……。こうして、佐藤は悪魔くんを欺くため、ヤモリビトの皮をかぶってスパイとして活動を始める。結局、佐藤は悪魔くんを売ることを決め、彼の密告によって機動隊が出動し、悪魔くんはあっけなく銃弾に斃れるのである。

社会変革の夢と現実

悪魔くんの死から三年後、悪魔くんを売った佐藤は、悪魔に騙され無一文になり、無残な姿に成り下がっていた。佐藤は「多くの貧乏人は安い給料で彼（悪魔）のために奉仕しているようなものだ。要するに現代の社会は悪魔に最も適した世界だということだ」と呟く。かつて悪魔くんの従者の一人だったカエル男は、佐藤に対して次のように言う。

昔から心ある人々は病人、不具の人、年老いた人、それらさまざまな不幸な人も同じように生活できる世界を作ろうとした……キリスト、シャカ、マルクス、「悪魔くん」……みなそれぞれ方法は違っているがその根本にある考えは同じだ。世界が一つになり貧乏人や不幸のない世界を作ることはおそかれ早かれ誰かが手をつけなければならない人類の宿題ではないか。「悪魔くん」はそれをやろうとしたのだ。(42)

このように、悪魔くんは、水木しげるが繰り返し描いてきたような、何度も帰ってきてしまう厄介者とは明確に区別されている。そこには「帰ってきてほしい」と待望される救世主の姿がある。水木はここで、長年自らが繰り返してきたモチーフを鮮やかに逆転させていると言えるだろう。救世主の復活は、たとえそれが永遠に引き延ばされるにしても、いや引き延ばされるからこそ、人びとにとっての救いであり続ける。『貸本版 悪魔くん』の結末は、水木の社会批判と「異形なる者の帰還」という内的モチーフとを昇華させた作品だった。

オカルトに彩られてはいるものの、『貸本版 悪魔くん』は、人類の平等を目指す革命の可能性をどこまで説得的に描けるかという、水木の思考実験という要素が強かった。そうした作品は、一九六四年当時の漫画のなかでは白戸三平という巨大な先例があり、その影響力は大きかったが、やはり珍しい試みだったと言える。その後の水木は、革命を目指す人物を直接的に描くのをやめ、その代わりに革命を夢想する民衆の姿を描くようになっていく。

夢想としての革命は、サラリーマンものに引き継がれた。「もやもや革命」(『小説エース』

一九六九年九月号）は、ある突然上空に登場した「妖怪もやもや」をめぐる騒動に、平凡なサラリーマン・山田がまきこまれるという話だ。「妖怪もやもや」は国民の不満がかたちをとった妖怪だった。政府が今までの「ごまかし政治」をあらためない限りだんだん大きくなり、最後には爆発するだろうと作中では説明されている。庶民もそれに気づいており、政府に諦めを感じて「もやもや」の爆発を待望するようにさえなる。そしてとうとう爆発。政治家や高級官僚は、化石のように動かなくなる。政治家や官僚に代わって、為政者となるのは庶民である。庶民による政府は、一生タダで住める住居を用意し、社会保障を充実させて医療費を無料化し、公害をなくす。そうすると「もやもや」は小さくなって、消え去ってしまう……。しかしこれは主人公・山田の夢想に過ぎないということが明らかになる。一種の「夢オチ」とも言える内容であり、物語の最後では、山田は希望退職を迫られ、重い足取りで家路につくのだった。

「もやもや革命」には水木に『貸本版 悪魔くん』を描かせた社会への強い怒りはもはや見られず、一種の諦観が前面に出ていることが見て取れる。ただし、諦観が前景化しているとはいえ、日本社会と現代文明への違和感は尽きることなく持続していた。水木の根底には、ただ生きて死んでいくという「土民生活」への憧憬があり、それが現状の社会や文明のあり方への根本的な違和感の源泉になっていたからである。

現代文明への強い違和感と南方への憧憬は、一九六〇年代後半に週刊誌や月刊誌ですでに人気シリーズとなっていた鬼太郎の物語の「最後」にも表れている。講談社での鬼太郎シリーズは、掲載誌を『週刊少年マガジン』から『月刊別冊少年マガジン』へと移行しながら、一九六九年七月号でいったん終了していた。それから一年後、「その後のまんがスター」という特集のなかの一作品として「その後のゲゲゲの鬼太郎」(『月刊別冊少年マガジン』一九七〇年七月号)が発表された。「マガジン」での鬼太郎シリーズの一区切りであり、物語の結末も「最後」を強く意識したものになっている。

この作品では、鬼太郎一行が、「幸福の島」と呼ばれる南方の島を訪問する。島の酋長は「びんぼう人は海に住むのがあたりまえだ」という考えの持ち主で、ほとんどの原住民は海上に立てた木製住居での暮らしを余儀なくされている。さらに酋長は、住民と島外の人間との性交を禁止するため、「性保安官」という職務を設けて人びとを監視している。それを知った鬼太郎は、人びとが島に住めるように、一般住民とともに「革命」を起こして土地を奪還しようと画策するが、ねずみ男の謀略によって事前に発覚し、死刑となる。しかし、鬼太郎は島の伝説どおりに生まれ変わり、「革命」を成功させるのである。最後のコマでは、鬼太郎は酋長の娘と二人で幸福の島で暮らしていると説明されてい

【図版13】かつて「ルンペン」と呼ばれた鬼太郎が到達した「幸福」の境地。そこには明らかに水木の願望が投影されている。「その後のゲゲゲの鬼太郎」『月刊別冊少年マガジン』1970年7月号。

た。多忙を極めた水木の南方願望が、読者の意表を突く筋書きを生んだのだと考えられる。

当時の水木の漫画には、南方願望と合わせて「革命」という言葉が頻繁に登場する。漫画のなかでは鬼太郎も原住民も「革命」という言葉を口にする。もうひとつ使用例を加えると、全三回の連載「コケカキイキイ」の第二回のタイトルが「東京大革命」(『週刊漫画サンデー』一九七〇年八月二二日号)だった。この時期の水木は、人気漫画家が苦しめられた量産体制のなかで、社会の劇的な変化の可能性と不可能性をなんとか書き込もうとしていたようだ。

以上に確認してきたように、人間社会に対する根本的な違和感と南方への憧憬が同居していた一九六〇年代の水木漫画は、繰り返し社会変革の夢を描いていた。その集大成的な作品が、『悪魔くん復活 千年王国』(『週刊少年ジャンプ』一九七〇年)(以下『千年王国』と略記)である。

国家を「占拠」する子どもたち

『千年王国』は、『貸本版 悪魔くん』をリライトした作品だ。貸本版に比べると言及される機会は少ないが、唐突に終わった貸本版とは異なり、千年王国の実現を目指した悪魔くんたちの戦いがより詳細に描かれていた。その意味では貸本版と合わせて読むことで、水木漫画の思想を読み取ることができる最良のテクストである。(43)

『千年王国』は、貸本版と同様、天才児の悪魔くんが魔法の力を借りながら「革命」を目指して

【図版 14】「悪魔くん復活 千年王国——悪魔くん講演の巻」『週刊少年ジャンプ』1970 年 9 月 21 日号。

【図版 15】「悪魔くん復活　千年王国——日本国やぶれるの巻」『週刊少年ジャンプ』1970 年 10 月 5 日号。

奮闘するという物語だ。貸本版とは異なる点も多いが、なかでも重要な変更は、ふたつの「千年王国」建設の準備に入る終盤で、ふたつの「占拠」が描かれているところにある。

第一の「占拠」は、ホテルの占拠だ。アメリカ、アジア、ヨーロッパに使徒を送った悪魔くんは、自分は日本に残り、東京を独立国にして「千年王国」と名付ける。その後、悪魔くんは「千年王国」の政府を置くために、「ホテルニューオーヤマ」を一兆円で買収するのである。

その後の悪魔くんたちの行動は、テレビのアナウンサーによって次のよう説明される。曰く、「狂人」の群れがホテルを占領し、独立国「千年王国」の誕生を宣言した。政府は自衛隊を待機させ、五〇名の精神科医を派遣して説得につとめている。狂人たちは、国境も軍隊もないひとつの平等な世界をもたらすと主張している……。

悪魔くんたちの行動が、もっぱらテレビのなかのアナウンサーによって説明されるという描き方は注目に値する。悪魔くんは実際には「買収」したのだが、それは「狂人」の「占領」と表現されていた。ここには、マスコミという一種の社会的な力が悪魔くんたちを異常視する様子が簡潔に表現されている。また、悪魔くんが、資本家の父を利用してホウキ工場の自主管理を行う点には当時の水木の思想が表れている。生産手段に関する自治は、コミューンの要点であるからだ。

第二の「占拠」は、首相官邸の占拠である。日本に残った使徒たちは、悪魔くんの指示によって、子どもの知能が急速に上昇する粉を空から撒いていた。子どもたちを味方につけた悪魔くんたちは、驚くべきことにいったん日本国に勝利する。その様子は、読者には直接示されず、逃げてきた首相の口から次のように語られる。

東京中の小学生たちが拠点のホテルに集まったため、攻撃命令を受けた自衛隊も手が出せなかった。子どもを攻撃するわけにはいかないからだ。そこに、魔法のホウキに乗った悪魔くんの部隊が出現し、子どもたちは勢いに乗じて首相官邸を占拠する。子どもたちによる「千年王国」は全国に勢力を広げ、日本全国を占領するが、アメリカとソ連が「千年王国」に宣戦布告。ホウキに乗った小学生たちは、驚くべきことに、米ソ両軍を撃退する。しかしながら、貸本版と同様、悪魔くんはヤモリビト（佐藤）の裏切りによって、警察隊の銃撃を受けて死んでしまう。

以上に確認した通り、アナウンサーが説明するホテルの占拠と、首相が説明する首相官邸の占拠は、一見すると、当時の学生運動から着想を得ているかにみえる。作品が描かれた一九七〇年において、「占拠」と聞けば誰もが学生運動を想起しただろう。全国各地の大学や高校で、学生たちが講堂や教室をロックアウトして立てこもった様子は大きく報じられていたからだ。『千年王国』では小学生が、現実の日本社会では主に大学生が、ともに「革命」を目指していたと読むことも可能だろう。

『千年王国』が発表された一九七〇年は、革命とその挫折という貸本版での試みが、一定の受容者に支えられるだろうとみなし得る状況にあった。学生運動に代表される異議申し立て運動の機運が、大衆文化にも流れこんでいたからである。その例としては、『千年王国』と同時期に『週刊少年マガジン』で連載されていた山上たつひこ『光る風』や、『週刊少年サンデー』で連載されていたジョージ秋山の『銭ゲバ』などを挙げることができる。また、『千年王国』以後の作品としては、やはり天才少年が独裁者となる過程を描いた望月三起也『ジャパッシュ』(『週刊少年ジャンプ』一九七一年連載)などがある。これらの作品は、一九六〇年代末から進行していた「少年誌の青年誌化」とでもいうべき傾向を代表する作品だった。(44)

しかし、学生運動が本格化する前から、水木は同様の物語を描いていた点には留意が必要である。戦国時代を舞台に、孤児たちが山奥に平等な国を作るという物語『こどもの国』(『月刊漫画ガロ』一九六五年六月号〜八月号)がそれである。さらにその底流に、本章の冒頭で確認したような、焼け残った廃墟ビルを占拠するという体験からの残響を聴くこともできる。水木たちは、東京都交通局と交渉し、月島に住居を確保するという一定の「成果」を得ていた。もちろん水木の主体的関与のほどはわからない。その一員として随伴したに過ぎないのかもしれない。それでもこうした戦後の「焼跡経験」を考慮に入れれば、ホテルに立てこもる小学生たちの姿に、水木の戦後経験——そして戦後の生活苦に直面していた「傷痍軍人」の経験——を読み込む余地はあるだろう。そこからさらに一歩踏み込んで、『千年王国』には水木が戦後経験のなかで練り上げた独自の思想が展開されているという積極的な評価を与えることも可能なのではないだろうか。

ここで「独自の思想」という言葉を使ったが、水木が戦後経験のなかで練り上げた思想とはどのようなものだったのか。水木の作品と言葉を手がかりにして検討してみたい。

石川三四郎との接点

『千年王国』の終盤、悪魔くんは作戦会議で言う。

いよいよ「千年王国戦争」がはじまり日本をぶんどった。つづいて全世界にこの戦いをひろげていくのだが……。国境病にとらわれ国家がゼッタイだと信じている人びとはおそらく強烈な抵抗をしてくるであろう。考えてみれば人間は国境から生まれたのではないんだ。地球から生まれたものなのだ。人間は地球人なんだ。わずかな境界線をまもるためにどれだけの人間が

死んだことだろう。国境をとりはらいバカな戦争をなくす。(45)

悪魔くんのこの言葉には、当時の水木自身の読書経験が直接的に投影されていると推測できる。なぜなら、水木は同様の内容を鶴見俊輔との対談で述べていたからだ。

青林堂編集部編『対話録・現代マンガ悲歌』(青林堂、一九七〇年)の巻頭には、水木と鶴見俊輔の対談が収録されている。対談は一九七〇年七月に行われたもので、『千年王国』が『週刊少年ジャンプ』に連載されていた時期と重なっている。鶴見に対して次々に質問を投げかけていく対談の様子から、水木の人柄を垣間見ることができる貴重な記録となっている。水木の質問を列挙してみよう。

「いまのサラリーマンはめし食うためにものすごく働きますね。昔は鹿一匹殺ればいいわけですね。昔の方が精神的によかったんじゃないですか」。「国家というものをなくしてしまえば、色々な害悪もなくなり……そのときは、どう治めるんですかね」。「無政府主義というのがありますね。あれはすなわち権力を認めないわけですね。すると世界は一つになりますね。そのときはどうやって世界を治めるんですかね」。「それが永久にできないとすると、今日の状態が永久に続くわけでしょうかね(46)」。

水木の口調からは、近代の国家悪への冷めたまなざしとアナキズムへの関心を読み取ることができる。これに対して、鶴見は水木のあまりにもストレートな質問に答えあぐねているようにも読める。ところで、水木はこの対談のなかで、本章にとって重要な手がかりを口にしている。石川三四郎の『虚無の霊光』（三一書房、一九七〇年）を読んだというのだ。

『虚無の霊光』は石川の代表的論考を編集したもので、アナキストとして知られる秋山清の解説を付して一九七〇年に刊行された。水木と鶴見の対談と同じ年である。この本を読んだという水木は、「あの人はもっともなこといってますよね」と石川に同意している[47]。では、水木は石川三四郎のどこに共感したのだろうか。

石川三四郎（一八七六～一九五六年）は、日本における初期の社会主義者、黎明期のアナーキズム思想家として知られる人物だ。石川の言論活動、社会活動は多岐に及び、これまでも多様な角度から論じられてきた[48]。ここでは西山拓の議論に依拠しながら「土民生活」をめぐる石川の思想を簡潔に紹介したうえで、水木しげるに戻ることにしよう。

【図版 16】石川三四郎『虚無の霊光』三一書房、1970 年。

石川は一九〇一年に洗礼を受けてから、キリスト教的コスモロジーと社会主義思想とを合成した論理を模索するようになった。曰く、人は神による理想の国づくりに協力しなければならないものであり、それを担うのが社会主義である、と。さらに、石川は田中正造との出会いを通じて、土着の生活者に立脚した社会運動の重要性に開眼する。イギリスの社会主義者エドワード・カーペンターとの交流もまた、石川の土着性への関心を確固たるものにした。カーペンターから、ギリシャ語の「デモス」は「土地につける民衆」という意味があると教わった石川は、「デモス」を「土民」、「クラシー」を「生活」と訳し、デモクラシーを「土民生活」と翻訳した。石川によれば、「土民」とは土着自立の社会生活者であり、他人に屈服せず、他人を搾取しない。農民に限らず、鍛冶屋も大工も左官も、「地球を耕す」という「芸術」に参加する労働者はみな「土民」だと石川は述べた。しかし、政治的野心を持ったり、他人を利用したりして自己の利慾や虚栄心を満足するものは「土民」ではない。土民の理想は立身出世ではなく、自分と同胞の平等な自由だとした。(49)

ここまで、石川の思想の一部分を確認してきたが、水木が石川に共感した理由は明らかだろう。土に根差して他人を利用することのない生活を目指した石川の非政治的平和主義や、共同体の構成員の平等な関係に基づいた自治を重視する思想、征服者や権力者や資本に対してはときに戦闘的にもなる思想に、水木は注目し、共感を寄せたのである。

『虚無の霊光』に収録された「土民芸術論」には「土民は地球の子である。無限の宇宙に直属の生活を営む者が即ち土民である。此地の子たる土民こそ実に地球の主人公である」という言葉があるが、これは悪魔くんの「地球から生まれたものなのだ。人間は地球人なんだ」という主張に直接的な影響を与えていると考えられる。(50)

さらに、石川三四郎の思想は、水木が南方の原住民に対して抱いていた憧憬を、確固たるものにしたとも言える。たとえば、水木が以下のように「土人」という呼称にこだわっていたが、そこには石川の影響があったのではないだろうか。

僕は最近南方に行って、昔から土人が好きなのですよ。原住民なんていいますね。失礼だというのです、土人というのは。土人というのがもっともふさわしいことばの場合があるのです。本当に土の人という感じの人がいるのですね、ニューギニアとかああいうところに。地べたに寝て、地べたにヤシの葉をこうして寝るだけですよ。本当の土の人ですよ。脚なんかいっぱい土がついている。しょっちゅう土のついている顔なんか。そういう人は本当に文字通り土人なのです。自分はこの前、随筆を書いたのですが、土人と書いたら原住民と直してあった。どこでも直しますね。そうすると感じが出ないのですよね。(51)

水木が抱いていた「土人」への共感を言い換えれば、非政治的・非資本主義的平和主義と呼べる。空想的なものだが、その思想は水木の生活体験に即しているがゆえの強度を備えていた。何よりも、水木の思想の特徴は、非政治的・非資本主義的な平和主義を快・不快という感覚に根差して突き詰めた点にあるだろう(その非政治性・非資本主義性が、たとえば「革命」という言葉と結び付くなどして政治的な外見を得てしまうという点に、六〇年代の言説・イメージの特徴があった)。快とは、睡眠欲や食欲といったわかりやすい欲望の充足だけを指すのではない。たとえば、漫画のなかで描かれた変身願望や異界願望などもその表れである。前者については「異形の者」として本章でも確認した

【図版 17】『河童の三平』1 巻、兎月書房、1961 年。

が、あらためて強調すれば、水木の描く「異形の者」はときにユーモラスで、ときに官能的な生命力を持っていた。それだけに、戦記漫画のなかで追い詰められた兵士たちの「変身」の描写に迫力が増したのである。後者の異界願望については、怪奇漫画などに端的に表れているが、ここではふたつの例を挙げるにとどめておこう。

第一に『貸本版　河童の三平』（兎月書房、一九六一～六二年）の序盤である。三平を仲間だと勘違いした河童たちが、三平を川に引きずって河童の世界へと誘導する様子を描いたコマでは、この世の時空を超越したように水中を漂う描写が読者に特別な陶酔感を与える。さらに言えば『貸本版　河童の三平』は、河童、タヌキ、死神、小人など人間以外の存在との交流が軸となっている点も注目に値する。三平は冒頭で河童の世界に迷い込むが、それ以外にも猫町という異界に監禁される場面がある。また三平の死の描写にも特筆すべき点がある。三平は、読者の意表をついて、本当にあっけなく、事故のように死んでしまう。そして、風のように軽く描かれた彼の絶命以後も、物語は淡々と続くのだ。これほど明快に、自然に、爽やかに、生と死の連続性を提示している作品は他に類例がない。

第二に、本章でも確認した『化鳥』である。『化鳥』には、南太平洋のある島に上陸した博士と助手が、異様な音楽に導かれる場面がある。音が角砂糖のように落ちてきて、それに触ることができるという不思議な音楽だ。彼らは文字通り音楽に「乗って」異界を進み、人類創世の神秘が刻印された石を発見するのだが、ここでも、水木は別の世界への夢想を見事に表現している。これらの描写は、水木という一個の才能を通して別世界を求める民間信仰の脈流が地層に顔を出したかのようである。

夢想と現実

こうした、変身願望や異界願望、そして南方への憧憬などの空想に基づいた一種の平和主義は、水木の思想の幅の一方の先端に位置すると言える。他方の先端にあるのは、民衆の生活に根差した虚無主義だろう。(52)

虚無主義の端的な表れを、貸本時代末期の作品『アホな男』(佐藤プロ、一九六四年)から確認する。この作品で、水木は自身を投影した人物を通して人生論を語っているからだ。あの世で開催される怪奇オリンピックを眺めながら、男は次のように述べる。「いまここで私達は食うということから初めてはなれる事ができたのです。従って初めて生きがいを感じたのかも知れません…………人生はただ食って死ぬるだけのものにすぎませんからネ」と。

ある種の虚無主義は、明確な社会批判のかたちをとることもあれば、穏健な脱世俗主義をとることもある。『墓場鬼太郎シリーズ2　霧の中のジョニー』（兎月書房、一九六二年）では、日本国籍も国からもらう勲章も、「ない方が自由でいいよ」という。幽霊族である目玉のおやじは、日本人と同じ待遇を求めているわけではないし、世俗の名誉も不要だという。他方で、それを気にするねずみ男にも、水木の思想がある。両者の対話は、そのまま水木の内的対話として読むことができるだろう。

これまで確認してきたように、水木の思想の両端にある反政治的・反資本主義的平和主義と虚無主義は、水木の戦争体験と戦後の貧困体験を土台としながら、一九六〇年代にかけて発展していった。[53]両端にあるふたつの要素は、戦後社会をサバイバルするためのしたたかな民衆思想とも接点を有していた。水木のもとでながらくアシスタント業務に携わっていた経験を持つ漫画家のつげ義春は、水木について次のような人物評を残している。

以前、水木さんをニヒリストとかアナキストなどと観念的評言を目にした覚えがあるが、それほど甘い人ではなく、それらを超克してリアリズム（現実主義）へと進化したのではないか。［中略］作風は怪奇幻想的ではあっても、生き方は現実を踏まえてゆるぎがない。[54]

つげ義春が指摘するように、水木の思想には「リアリズム」がある。「革命」は挫折し、「帰還」

【図版18】水木しげる『アホな男――怪奇オリンピック』佐藤プロ、1964年。

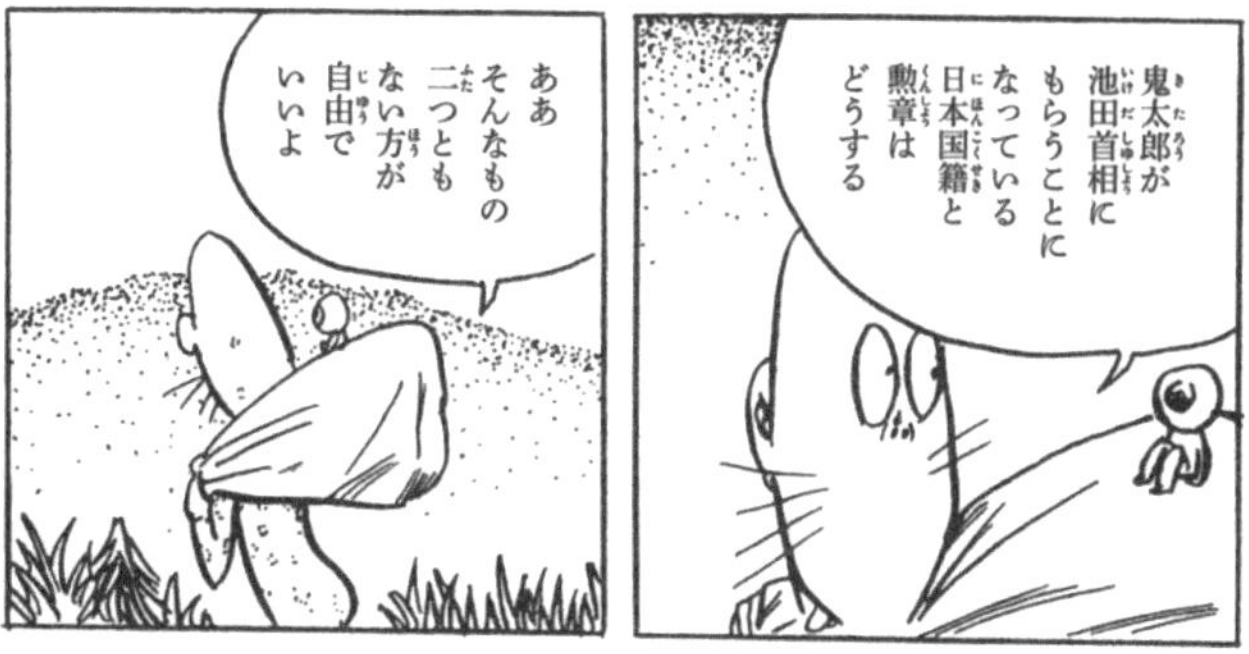

【図版19】『墓場鬼太郎シリーズ2　霧の中のジョニー』兎月書房、1962年。

は失敗し、ねずみ男が富を築くことはない。その「リアリズム」が、異形の者たちを通して表象されたところに水木の思想の要点があったというのも、本章が繰り返し指摘したことだ。

異形の者が子どもの生活空間に闖入してくるが、家族がそれをおおらかに受け入れて共同生活を始める——このような、いわば「居候型」の少年漫画・児童漫画は、一九六〇年代から七〇年代の典型だった。たとえば、藤子不二夫や赤塚不二夫の作品はそれを端的にあらわしている[55]。

これに対して、水木が貸本漫画や少年誌で描いた漫画は、基本的に逆の構造を持っていた。鬼太郎シリーズがわかりやすい。鬼太郎の物語には多様なバリエーションがあるが、最も人口に膾炙しているのは、『週刊少年マガジン』の連載で固定化され、アニメ版で繰り返された物語構造だ。つまり、人間社会に害をなす妖怪が登場し、依頼を受けた鬼太郎が妖怪を退治する。そして鬼太郎は「カランコロン」を下駄を鳴らして去っていく、というものだ。鬼太郎は、人間界の秩序にとどまらずに、去っていくのである。

これは、境界線上とその外側とを漂う者たち（妖怪）が、境界内部の秩序空間に居座り、自分の居場所を主張するものの、最終的に（鬼太郎に退治されるなり、成仏するなりして）秩序が回復されるという、怪談などに顕著な物語構造である。強固な物語構造を多用することは商業的要請に応える重要な手段であり、水木もまた貸本時代からそのように仕事を続けてきた。

それと同時に、水木がその物語構造にこだわった理由としては、繰り返しになるが、自身の戦争体験と戦傷を負った元兵士としての戦後経験を付け加えなければならないだろう。復興のあとに経済成長を果たした戦後日本において、身体が不自由な元兵士たちや、なお貧困にあえぐ生活者たちは、境界線上を漂う者という側面を有していたからだ。水木はそうした異形の者たちを描き続けた作家だったと言える。彼ら・彼女らの願いと怒り、不安と失望とを、自身の体験に基づいて多様なバリエーションで展開できた点に、水木しげる作品の思想史的・文化史的意義があるのだろう。

第2章　植民地主義と「亡霊」——加藤泰・大島渚・高倉健

「敗戦国の亡霊」

塚田「川田、貴様には俺の生き方がわからんのだ。いまの世にはいまの生き方があるんだ。貴様の頭の中にあるのは敗戦国の亡霊なんだ。世の中は動いていくんだ。変わっていくんだぞ、川田」
川田「変わりたくないんだ[1]」

加藤泰による映画『懲役十八年』（東映、一九六七年。脚本は笠原和夫と森田新）の終盤で、かつての戦友だった二人が交わす会話である。

登場人物の川田（安藤昇）と塚田（小池朝雄）は海軍航空隊時代の戦友で、多くの仲間の特攻出撃を見送った経験を共有していた。戦後は、死んだ戦友の遺族援護のために「海軍第三〇一特攻櫻隊遺族会連絡事務所」を立ち上げ、闇物資を遺族に流して生計を支える活動をしている。彼らの目

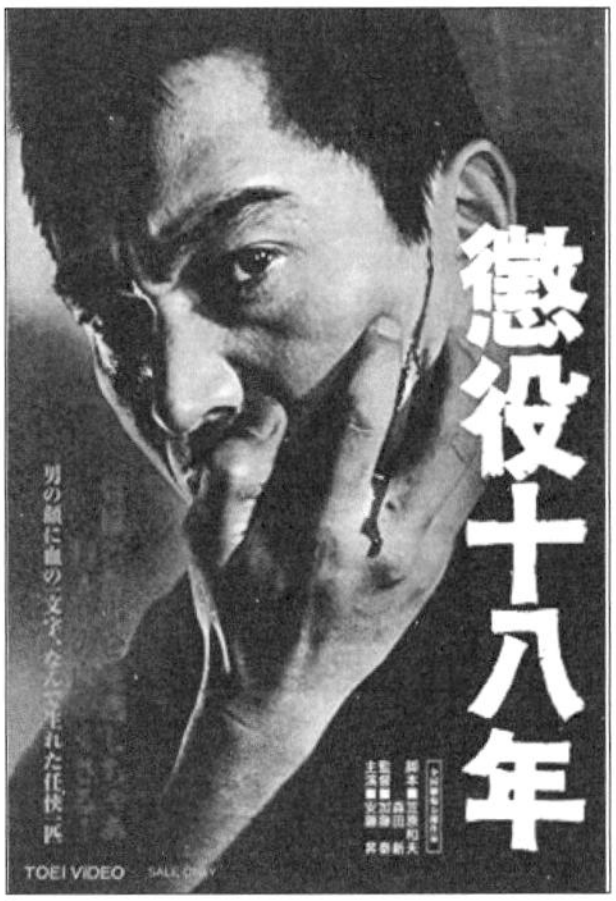

【図版 1】『懲役十八年』東映、2016 年、DVD パッケージ。

標は、自分たちの稼ぎと遺族たちの出資をもとにマーケットを作ることだった。彼らはマーケットの土地代と建設費を貯めるために日々奮闘していた。こうした活動の背景には「真っ先に死ななければならない私たちだけが生き残ってしまってお詫びのしようもありません」という塚田の言葉が示すような一種の罪障感があった。それゆえ、死者たちに代わって遺族たちの面倒をみようとしたのであり、それが彼らの生き甲斐にもなっていた。

ある夜、川田と塚田は、マーケット設立資金を得るために銅線強奪計画を立てる。しかし、二人は日本の警察と占領軍のミリタリーポリスの双方に追われるところとなり、塚田が負傷する。そこで川田は、遺族会は任せたと塚田に言い残し、追っ手を引き付けるために自ら飛び出していく。その後、川田は逮捕され服役する。

残った塚田は、塚田興業を立ち上げて社長の座におさまるが、戦後の世相のなかで変質を遂げる。塚田は遺族たちをだまして金と土地の権利を手中に収め、売春の元締めとして財をなすというステレオタイプ的な悪徳経営者となるのだった。獄中でそれを知った川田は当然ながら怒る。その怒りは激しく、川田はとうとう刑務所から脱走し、塚田を追い詰める。冒頭の会話は、二人が再会したときのもので、両者の戦後観の隔たりをわかりやすく示すものだ。

以上が『懲役十八年』の梗概である。脚本の土台には、戦後神戸の愚連隊組織「神戸国際ギャング団」を率いた菅谷政雄の存在があるが、川田が抱いた戦後への違和感は笠原和夫の脚色であろう。『懲役十八年』は公開当時の世評が高かったわけではない。[2]その意味では、いわゆる名作というよりも、当時量産された映画のひとつに過ぎないと言える。それでも、この映画を本章の冒頭で紹介したのは、戦後文化史における戦争の傷痕を考察しようとする本章にとって、「敗戦国の亡霊」という言葉が格好の手がかりとなるからだ。この亡霊あるいは幽霊という概念は、戦争の記憶をめぐる様ざまな議論のなかで、しばしば言及されてきた。表象に関わるものとしては、志村三代子「彷徨する復員兵——黒澤映画のなかの〈幽霊〉を中心に」(小松和彦編『怪異・妖怪文化の伝統と創造——ウチとソトの視点から』国際日本文化研究センター、二〇一五年)を挙げることができる。また、思想史的考察を繰り広げた論考として高橋哲哉『戦後責任論』(講談社、一九九九年)がある。戦争の記憶を「亡霊」や「亡霊的記憶」という概念で再把握しようとした高橋の議論を参照しながら、本章の問題意識を明確にしておきたい。

「亡霊的記憶」というのは、人びとが忘れたころに戻って来るという負の記憶の性質を概念化した言葉だ。高橋の言葉を引用すると、「現在と、現在に知られているかぎりの過去と、現在から予想される限りの未来という、この現在中心のクロノロジーの外から、アナクロニックにやって来るのが「亡霊的」記憶」ということになる。[3]

犠牲者は、忘却に抗して亡霊として現われます。クロノロジーに反逆して、喪の作業をサボってはならない、といって現われます。そしていったん現われると、繰り返し現われますし、主体にとり憑いて離れません。もう出るな、といっても、いうことをきいてくれるとは限らないわけです。主体はこの場合、亡霊が現われるかどうか、いつ現われるのかを、あらかじめ知ることはできません。いったん現われたら、消えろといっても消えてくれない(4)。

こうした高橋の指摘は、より日本的な文脈からも補強可能である。柳田國男は「妖怪談義」(『日本評論』一九三八年三月)のなかで、「オバケ」と「幽霊」の違いを次のように説明している(5)。「オバケ」が場所に出るのに対し、「幽霊」は相手を決めて追いかけて来るというのだ(第1章で触れた水木しげるの「妖怪」については、「オバケ」と「幽霊」の区別が難しいため、「異形なる者の帰還」という観点から論じた)。

高橋が言う「主体にとり憑いて離れません」という「亡霊」の特徴は、柳田の区分で言えば「幽霊」である。柳田によれば、「幽霊」は広義の「信仰」として、近代に至るまで日本文化に定着していた。こうした「伝統」に即すならば、戦争の死者たちが「幽霊」と類比的に語られたり想像されたりするのは、当然だと言える。この点について、第3章では長崎の原爆を題材に事例と考察を付け加えることになるだろう。

さて、冒頭で紹介した塚田は「敗戦国の亡霊」と口にした。川田が手放さなかった遺族たちへの罪障感と連帯意識を、塚田は大日本帝国と結びつけて理解し、それらはすべて瓦解したものとみなしている。つまり、川田の自己意識に即して言えば、川田自身は死んでいった兵士たちの「亡霊」と呼ばれてしかるべきであり、断じて「敗戦国の亡霊」などではない。しかし、死んだ兵士たちを忘れた塚田には川田が「敗戦国の亡霊」としかみえない。冒頭の会話は、脚本家の意図は別にして、両者の認識の相違を見事に浮き上がらせるものだった。

知ってはいるが受け止められない

そもそも戦後日本の大衆文化のなかには、戦争に関わる過去が亡霊や幽霊のように自分を追いかけて来るという構成をとった物語が多い。誰もが知る作品として、たとえば次のような作品群を挙げることができる。

占領軍の将兵相手の売春婦「パンパン」だった過去が犯罪の動機となる松本清張『ゼロの焦点』（光文社、一九五九年）や、占領軍の黒人兵士とのあいだに生まれた子どもの存在が犯人を苦しめる森村誠一『人間の証明』（角川書店、一九七六年）などである。ミステリー作品において、犯行の動機の根幹に関わる出来事を敗戦直後の時空間に求める工夫は、犯行の動機に説得力を与えると同時に、当時の読者・観客の多くを敗戦直後に一時的に引き戻す効果があり、読後・鑑賞後の感想に奥行きをもたらす。

さらに、同種の構造を持つ作品として原一男のドキュメンタリー映画『ゆきゆきて、神軍』（疾走プロダクション、一九八七年）も挙げておかねばならない。映画内での奥崎謙三の役回りは（奥崎個人の思想信条は措くとして）、元兵士たちを尋ね歩いてニューギニア戦線の「真実」を言わせようとする闖入者であり、映画内で奥崎と再会を果たした元兵士たちの表情は、亡霊的記憶の現前に戸惑う様子を克明に伝えていた。

これらの作品は、本書の問題意識からいえば、戦争とその直後の時代に関わる一種の罪障感——あの時代は誰もが自己の生存に必死であり、他者のことを考える余裕はなかったというようなうしろめたさ——を「亡霊」のごとくよみがえらせるものでもあった。うしろめたさに心当たりがある人が多かったからこそ、この種の物語の構造が人びとの心を捉えたのだろう。

しかし、以上のような説明には、留意しておかねばならない点がある。それは、前述の作品群で描かれていたのはどれも自国民の死者に対する特別な感情だったという点である。

戦後日本社会は自国の戦死者を多様に意味づけてきた。もちろん、それらは一面的、単一的なものではなく、個人のなかにも集団のなかにも、多様な理解が共存していたとみるべきだろう。そして、そうした理解は、ときには戦没者慰霊式や靖国神社のようにナショナルなレベルで、あるいは無数の個人の沈黙のレベルで、多様な追悼の形態を生んでいった。

では、国家目標に従わざるを得なかった兵士たちが殺してしまった（あるいは殺さざるを得なかった）他国の兵士や民間人の存在についてはどうだろうか。戦後日本社会は長きにわたって、日本軍の被害者たちへの追悼を意識的・無意識的に忘却し続けてきた。その問題は一九九〇年代に表面化することになる。先述の高橋哲哉の問題提起も、その文脈で行われたものだ。

もっとも、戦後日本のメディア文化は、数は少ないけれども、他国民を殺してしまったという加害意識にさいなまれる人間を確かに描いてもきた。代表例を挙げるならば、大岡昇平や武田泰淳や堀田衛善などの戦後文学者たちの諸作品がある。より大衆的なレベルで言えば、手塚治虫の漫画『紙の砦』では、墜落した米軍機のパイロットへのリンチに加わろうとした主人公が、パイロットの悲惨な姿を目の当たりにして思いとどまるという場面も描かれていた。

朝鮮半島や中国大陸との関係に留意しながら戦争の記憶を描いた作品も少なくない。その代表作として、大島渚のテレビ・ドキュメンタリー『忘れられた皇軍』（読売テレビ、一九六三年八月一六日）がある。『忘れられた皇軍』は、恩給法や戦傷病者遺族等援助法などの社会保障を受けられなかった朝鮮半島出身の元日本軍戦傷者たちを取り上げ、彼らの生活や陳情活動などを映した作品である。大島の饒舌なナレーション、BGMとして使用されたジャズなど、戦後日本のドキュメンタリー史のなかでも見逃せない作品である。(6)

作品のなかで大島は、白衣を着た戦傷病者たちが街頭や国会周辺で陳情・請願活動を行う様子を克明に撮っている。彼らの主張を正面から受け止めようとしない日本政府や街頭の人びとの姿に注目することで、戦後社会に疑問を投げかけたのだった。朝鮮半島出身の日本軍兵士（および軍属）

として戦傷を受けた者たちの存在を、知ってはいるが受け止められない戦後日本社会を告発しようとする大島の意図は明らかである。

『忘れられた皇軍』に代表されるように、戦後日本のメディア文化には、東アジアとの関係のなかで戦争の傷痕を見据えようとした作品の脈流がある。本章はその脈流をより明確に捉えるため、朝鮮半島出身者の日本軍兵士とその戦後の表象を分析対象とする。特に、映画『男の顔は履歴書』(松竹、一九六六年)と『ホタル』(「ホタル」製作委員会、二〇〇一年)を取り上げる。

なお、戦後日本に在住した朝鮮半島出身者の呼称については、「在日コリアン」「在日朝鮮人」などの呼称がすでに定着している。本章ではこれらの言葉に加えて、文脈に応じて「日本在住の朝鮮半島出身者」「日本在住の朝鮮人」あるいはたんに「朝鮮人」と表記しているが、その指すところは基本的に「在日コリアン」と同じである。「在日コリアン」「在日朝鮮人」というすでに定着した言葉を使用しない理由は、戦中から敗戦直後の彼ら・彼女らの複雑な帰属意識をよりよく表現するためである。

映画『男の顔は履歴書』

映画『男の顔は履歴書』の監督は、冒頭で紹介した『懲役十八年』と同じく加藤泰である。『懲役十八年』と『阿片台地　地獄部隊突撃せよ』(ゴールデンぷろ、一九六六年)の二作を合わせて、戦中・戦後三部作と呼ばれることもある作品だ。この作品が扱うのは民族と暴力が絡まり合った戦争と戦後の記憶である。戦争と戦後の記憶は、たとえば次のように映像化されている。

映画内の時間は、一九六六年。主人公の雨宮（安藤昇）は町医者として日々を過ごしている。彼は戦後にマーケットの利権をめぐって朝鮮半島出身者の集団と争った結果、弟を失い、自らも復讐の暴力に身を任せて、逮捕・服役したという過去を持っていた。服役後は、現実世界に関心を抱かないニヒルな男になっている。そこに、交通事故による重傷者が運び込まれてくる。雨宮は患者を目にして、すぐにそれが崔文喜（中谷一郎）だと気が付く。崔はかつて柴田と名乗っており、雨宮とともに沖縄戦を戦い、戦後はマーケットをめぐって敵対したという過去を持つ男だった。雨宮の生活は、戦後のマーケットと一九六六年の二度にわたって、戦友・崔文喜にかき乱される。町医者・雨宮にとって、崔文喜は思い出したくない過去の象徴であり、その過去が自分のもとに返って来るのである。

決して知名度が高いとは言えない『男の顔は履歴書』だが、雨宮と崔文喜の関係と彼らが置かれた戦中・戦後の東アジアの時空間に注目するとき、この作品は民族と暴力の記憶に関する亡霊性を考察するうえで避けては通れない重要な作品として浮上する。

『男の顔は履歴書』とはどのような映画なのか。この映画は、過去と現在を行き来する構成になっているが、ここからは便宜上、時系列に沿って再構成して梗概を紹介する。

映画の冒頭、「この映画は敗戦後の日本の混乱した時代に想定したフィクションである。そして、

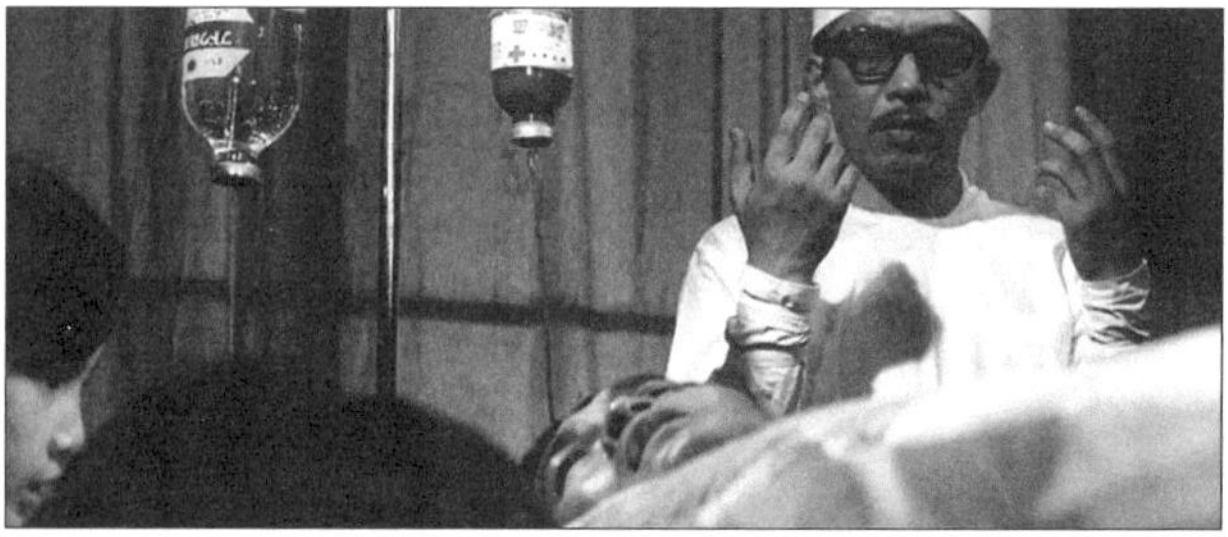

【図版 2】雨宮のもとに運び込まれた崔文喜。

世界中の人間が互いに愛し合い、信じられる日を信じて作られたドラマである」という字幕が映し出される。その後、雨宮と柴田という二人の男性を軸に物語は進む。二人はともに沖縄戦の経験者で、柴田は朝鮮半島出身者だった。物語の舞台は一九四八年八月、雨宮が土地の権利を持つ「新生マーケット」の利権をめぐって、日本人と「九天同盟」との抗争が描かれる（映画でも脚本でも、場所の具体名は明示されない）。朝鮮半島出身者からなる組織「九天同盟」は、日本人組織が統治してきた「新生マーケット」を、自らの手中に収めるために乗り込んで来る。雨宮は医師として、柴田は崔文喜と名前を変えて「九天同盟」の助っ人として、マーケットで再会する。傍若無人な「九天同盟」のメンバーたちは、「日本人に命令する権利ない！」とマーケットで傍若無人なふるまいを続け、マーケットの労働者たちはおびえて暮らしている。

そこに、「朝鮮キャバレー」で働く李恵春と雨宮の弟・俊次の恋愛が絡む。俊次は日本人集団の一員として「九天同盟」と武力抗争を行うが、敗北し、俊次と李が死亡する。ついに雨宮は立ち上がり、「九天同盟」を壊滅させるが、逮捕されてしまう。ここで物語は一九六六年に移る。服役を終えて、開業医として働く雨宮のもとに、交通事故に遭った崔が家族に付き添われて運び込まれる。そして、手術開始の場面で映画は終わる。以上が映画の梗概である。

これまでの研究では、日本在住の朝鮮出身者が登場する数多くの映画のなかのひとつのサンプルとして『男の顔は履歴書』が論じられてきた。朝鮮人特攻隊員の表象と実態を包括的に論じた権学俊『朝鮮人特攻隊員の表象——歴史と記憶のはざまで』(法政大学出版局、二〇二二年)は、本章の後半で論じる『ホタル』について有益な示唆を与えてくれたが、『男の顔は履歴書』には特攻隊員が出て来るわけではない。『男の顔は履歴書』を論じた先行研究として、梁仁實による二本の論文「戦後日本映画における「在日」女性像」(『立命館産業社会論集』第三九巻第二号)と、「「やくざ映画」における「在日」観」(『立命館産業社会論集』第三八巻第二号)がある。梁は、在日朝鮮人が登場する約二〇本の日本映画を分析し、その表象には「内なる他者」という傾向があり、特に在日朝鮮人女性は「負の表象」を背負わされがちだと指摘した。そのうえで、『男の顔は履歴書』について、主人公が戦友を「崔」ではなく通名で呼び続ける点に着目し、そこに「同化のまなざし」を読み取っている。梁による鋭い指摘を踏まえつつ、本章ではこの作品をより詳細に検討したい。

梁の指摘は、オリバー・デューの『在日シネマ(Zainichi Cinema)』にも受け継がれているようだ。同書は、一九六〇年代から七〇年代の任侠・ヤクザ映画において、日本在住の朝鮮半島出身者がいわゆる「三国人」として表象されている作品が多いとしたうえで、『男の顔は履歴書』などを取り上げ、その表象は単純な「他者」となっていると指摘する。(7) こうした理解は、ポストコロニアルな表象の力学をめぐる研究において、いまや定説となっている。近年ではナヨン・エイミー・クォンによる『親密なる帝国――朝鮮と日本の協力、そして植民地性』(永岡崇監訳、人文書院、二〇二二年)が、「帝国が〈他者〉の真正な表象を要求しながら、〈他者〉の全体としての人間性や経験の複雑さを消去することの矛盾」について論じている。(8)

そもそも表象が「全体」や「複雑性」を十全に捉えるのは困難である。その困難を踏まえてなお、言葉を紡ぎ、映像を撮り、表現へと向かう者がいる。また、それらを読み解こうとする者もいる。こうした人びとの表現と解釈の蓄積に、本章ではひとつの事例を付け加えようとする試みである。

さて、これまで確認してきたように、『男の顔は履歴書』は朝鮮人出身者が登場する数多くの映画のなかのひとつのサンプルとして論じられてきたわけだが、それは裏を返せば、単独で論じるほどの芸術的意義や文化史的意義を見出すのは難しいとみなされてきたということでもある。その傾向は、加藤泰を高く評価する映画評論家たちにも共有されていた。(9)『男の顔は履歴書』をめぐる先行研究が提示した知見は説得的だが、製作者たちの意図や表象が持つ同時代性については、ほとんど関心が払われてこなかったと言えるだろう。しかし、『男の顔は履歴書』という作品は、加藤泰のフィルモグラフィーのなかでも特筆すべき点を有している。

それは、従来は京都で仕事をしていた加藤泰が、初めて東京の撮影所で撮った作品だったという点だ。加藤自身も期するものがあったらしく、プロデューサーから脚本が持ち込まれたときに「ぜひこれ、やらせていただきましょう」と答えたという。「変ないい方ですが、登場してくる人たちは好きな人たちです。朝鮮人と日本人のドラマなんですね。それで戦後の一時期の三国人問題。それを、娯楽映画ではあるけれども、遠慮せずに、バンと出しているんです。遠慮ということなしにね。これは面白い」と回想している。[10]

にもかかわらず、この映画の公開当時の評価は量産された任俠・ヤクザ映画のひとつという位置づけを出るものではなかった。そこで本章では、この映画を東アジアの戦後史と対照させ、戦争や抗争と結びついた民族性の亡霊的記憶を描いた作品として論じることで、この作品の思想史的かつ文化史的意義を再評価したい。

ポイントは、この映画が持つ三層の時間構成である。すでに確認した梗概からも明らかだが、この映画の主な舞台は一九四八年の「新生マーケット」に設定されている。加えて、一九四八年を挟んでふたつの時空間が配置されている。ふたつの時空間とは、第一に一九四五年の沖縄戦。第二に一九六六年という映画公開当時の「現在」である。一九四五年の戦争と民族性の記憶が、一九四八年と一九六六年とに、それぞれ様相を変えながらよみがえるという作劇になっている。以下、その具体的な様相について考察していこう。

復員兵と朝鮮人の「皇軍兵士」

雨宮は当初、マーケットの抗争にまったく関心を示さなかった。彼は恋人に向かって「お前以外、

【図版３】沖縄戦の回想場面。左が雨宮、右が柴田（のちの崔）。

俺には信じられるものが何があるというのだ。戦争。俺は殺した、この手で、同じ人間を。負けた。トタンに全部が嘘だ。何もかも嘘だ」と述べる。[11]映画ではこれ以上詳しく描かれないが、雨宮の人物造形に戦争の傷痕を読み込むことは容易い。雨宮は沖縄戦の経験者だった。

戦後の復員兵の精神構造は多様だが、戦後社会は日常に円滑に復帰できない復員兵たちの姿に関心を寄せてきた。当時の社会は復員兵を犯罪予備軍として危険視することもあれば、同情を寄せることもあった。また、戦後の言論や研究でも、復員兵に注目する議論は少なくない。[12]実際、復員兵自身の著述からも、日常復帰が困難だった様子がうかがえる。その一例として、渡辺清の日記から一九四五年九月五日の記述を挙げておく。

復員して今日で七日目になるが、おれはまだうちから一歩も外に出ていない。ずっと奥の納戸に引きこもったままだ。飯どきもなるべくうちの者と時間をずらせて、独りで食べるようにしている。父の万作はかげで、「あれも偏屈になったもんだ」とぶつぶつ言っているようだが、とくかくいま誰とも顔を合わせたくない。

誰とも口をききたくない。陰々滅々、できることなら、このまま冬ざれの蓑虫のように、どこか秘境の深山にでも隠遁してしまいたいくらいだ。そのくせ、自分が艦を降りて、すでに兵隊でなくなってしまったということが、いまだにピンとこない。なにか寝ざめの悪い夢でもみているような中途半端な気持ちだ。(13)

渡辺はレイテ沖海戦などを経験しており、戦艦武蔵の沈没から生存した人物である。渡辺の日記には戦後の日常への適応が困難だった様子が克明に描かれている。もっとも、復員兵の葛藤は、このような内的な不適合だけが原因ではなかった。外的な要因として、戦後社会からのまなざしの変化がある。戦後社会の復員兵へのまなざしは、栄光ある皇軍兵士から、敗戦を止められなかった情けない兵士へ、あるいは無用者へと変わった。そのまなざしにさらされ、精神的にも社会的にも問題を抱える者がいたことは、よく知られている。『男の顔は履歴書』の雨宮がマーケットの抗争に関心を示さないのは、こうした戦後社会の復員兵像を取り入れたものだと考えられる。

雨宮の造形について考察したが、次に柴田(崔)という人物についてみておこう。前提として、朝鮮半島から「皇軍兵士」が生まれるに至った歴史的経緯を整理する必要がある。以下、T・フジタニと権学俊の研究を参照しながら、朝鮮人に対する志願兵制度と徴兵制度の成立過程を瞥見したい。(14)

朝鮮人の「皇軍兵士」が生まれた端緒は、一九三八年二月二三日に公布された「陸軍特別志願兵令」だった（同年四月三日施行）。これにより、朝鮮人の一七歳以上の男子が陸軍に志願可能になると、一九三八年は約四〇〇人、三九年は約六〇〇人と比較的少数の志願兵が生まれた。その後、第二次世界大戦の勃発から一九四一年の日米開戦という段階に至ると志願兵は急増する。志願兵の数は、一九四三年までに一万六八三〇人に及んだ。

　志願兵制度とは別に、徴兵制も敷かれた。一九四二年五月八日、兵力増強を目的として、日本政府は朝鮮への徴兵制適用を決める閣議決定を行っている。これに基づき、四三年三月に改正された兵役法が公布され、一九四四年四月からは朝鮮でも徴兵検査が始まった。以上の一連の動きと並行して、日本政府は熱心に内鮮一体を指導した。兵士となるのは皇国臣民にとって最大の名誉であるという宣伝・教育も行われた。なお、同年九月には台湾での徴兵制適用が閣議決定されている。志願兵と徴兵制による兵士を合わせると、一九三八年から四五年のあいだに、約二一万四〇〇〇人の朝鮮人男性が軍人になったという[15]。

　朝鮮半島における徴兵制適用後は、新聞や知識人たちが熱心に意義を説き、徴兵制度に包摂されたことを喜んだ。T・フジタニの表現を借りれば、朝鮮語メディアも日本語メディアも「朝鮮人兵士を植民地兵《コロニアル・ソルジャー》というよりは、日本国が差異を超越していることを体現した異民族《エスニック》の国民兵《ナショナル・ソルジャー》として描くようになっていった」のである[16]。

　映画のなかの柴田（崔）が、志願兵だったのか徴兵制によって動員されたのかはわからない。沖縄戦を戦った朝鮮人日本兵がいたという事実は、沖縄・糸満市にある平和祈念資料館の敷地内に

「韓国人慰霊塔」があることからも、現代ではある程度は知られていると言える。正確な数はわからないが、沖縄に連れてこられた朝鮮人の軍人・軍属は一万人から二万人と推計されている。[17] 沖縄の平和祈念公園には、沖縄戦で命を落とした人の名前を記した「平和の礎」があるが、二〇一五年の時点でそこに名前が刻まれている朝鮮半島出身は四四七人である。

では、映画『男の顔は履歴書』が公開された一九六六年当時の日本社会は、朝鮮半島出身の旧日本兵の存在をいかに認識していたのだろうか。それは、前述した大島渚の『忘れられた皇軍』が示したように、「知ってはいるが受け止められない」という状態だった。とりわけ、一九六五年に調印された日韓基本条約と合わせて結ばれた請求権・経済協力協定によって、日本は八億ドルの資金援助を行い、それと引き換えに韓国は対日賠償請求権を放棄していたため、植民地支配に対する日本の賠償は事実上「終わった」ものとみなされた。そのような状況に、映画『男の顔は履歴書』を置き直すと、柴田（崔）が日本の植民地支配の「亡霊」的存在として、映画内に召喚されているということがみえてくる。

民族性と敵対性

この映画の印象を、当時量産されていた任侠・ヤクザ映画とは異なるものにしているのは、朝鮮半島出身者たちを日本人に復讐する民族的主体として強調しているからだ。主体とは決して固定的なものではなく、状況に配置された諸権力との折衝のなかでその都度形成されるものだと捉える見方は、現在では定説と言える。そうした理解を映画というフィクション内部の登場人物に敷衍することが許されるならば、この映画が固定的で一面的な朝鮮半島出身者のイメージを提示しているとする従来の評価には検討の余地が生じるだろう。

敗戦当時、日本には二二〇万人をこえる朝鮮半島出身者が居住していた。彼らのうち一五〇万人から一九〇万人が、一九四五年から四九年までに朝鮮半島に帰国した。その結果、一九五〇年六月の朝鮮戦争勃発時において、朝鮮人の数は約六〇万人にまで減少していたとされる。(18) 映画内部の時間である一九四八年において、相当数の朝鮮人が日本に在住していたことになるが、その多様性を描くことは、この映画の主眼ではなかった。主眼ではないからこそ、「風景」のように自明視された固定的・一面的な主体の提示が問題なのだという指摘も可能だが、本章では固定的・一面的主体にみえかねない表象に込められた復讐の意味を論じてみたいのである。

固定的・一面的主体にみえかねない表象とは、朝鮮半島出身者の集団が日本人集団に対して有した敵対性を指す。映画では、朝鮮半島出身者団体の「九天同盟」の指導者にあたる劉成元という男が、「マーケット」襲撃を計画する場面で、次のようにつぶやく。

日本は戦争に負けて法律も道徳も人間の力も弱り切っている。いまだ、俺たちがひっかきまわすのは。日本人をズタズタにしてやる。いままで奴らが俺たちにしてきたのと同じようにだ。(19)

わかりやすい復讐の意思を表した言葉である。この言葉は、戦前・戦中の過去に対してのみならず、敗戦後の日本においても継続していた朝鮮半島出身者への警戒心に対しても向けられている。「いままで」というのは、そう理解すべきである。

闇市と「第三国人」とを結びつける当時の言説構造については、逆井聡人の貴重な研究がある（『〈焼跡〉の戦後空間論』青弓社、二〇一八年）。以下、逆井の研究に依拠しながら、両者の関係を確認しておこう。「第三国人」を警戒する典型的な政治的言説としては、一九四六年七月二三日の第九〇回帝国議会における大村清一内務大臣の発言がよく知られている。

いわゆる解放された在留者にして誤れる者は、過去の処遇に対する反発を理由と致しまして、敗戦国の法律に従う必要はないと、あたかも戦勝国民なるがごとき優越感を抱き、たとえば不当要求、集団暴行、各種犯罪の敢行、経済統制撹乱、無賃乗車等の不法越軌の行為を、しかも衆をたのんで行ひ、社会人心を不安に陥れしめたことは御承知の通りであります、数日前におきまして、露店市場への不当進出を原因と致しまして、台湾省民と我が国人との間に紛争を生じ、それが遂に警察署襲撃事件にまで発展致したことも御承知のことと存じます。［中略］

悪質なる違反者、殊に暴力をもって社会秩序を破壊せんとする集団的不法行為者に対しましては、たとえそれが朝鮮人間、台湾人間の問題でございましても、日本の法令に依りまして厳正なる取締を加へ、これを防遏する方針で臨んで居る次第であります（拍手）もちろん是等集団不法行為者は在留者全部ではないのであります、またかかる不良分子の行為を心から憂へ、遺憾と致して居る在留者も少なくないのであります。[20]

具体例として挙げられているのは「台湾省民」だが、「朝鮮人間」という言葉がある。留保がついているものの、「敗戦国の法律に従う必要はないと、あたかも戦勝国民なるがごとき優越感」を抱いている「いわゆる解放された在留者」たちへの警戒心が如実に表れた言葉だ。

このような発言には、相応の根拠があった。当時の報道を辿れば、闇市での摘発者のなかに中国・台湾・朝鮮半島出身者と思しき名前を見出すことはさほど難しくないからだ。そうした事実とは別に、「敗戦国の法律に従う必要はないと、あたかも戦勝国民なるがごとき優越感を抱き」という発話は、発話者自身の認識が直接的に表れてもいた。議事録をみる限りでは、この発言が取り立てて問題になった痕跡はない。つまり、日本の政治エリートにある程度は共有された認識だったと言えるだろう。

さて、問題は、一九四六年の国会答弁にみられたこの種の認識が、『男の顔は履歴書』のなかでは、朝鮮人の登場人物の発話として表象されているという点である。過去のこうした認識を流用し、朝鮮人の口から「復讐」を語らせる。この作劇を通して、映画は「日本人」に対する敵対心を抱いている朝鮮半島出身者の像を、わかりやすく構築したのだった。それだけならば、この映画は日本在住の朝鮮人を「他者」として描いた、数ある映画のうちのひとつに過ぎないという先行研究の指摘は正確である。

ただし、この映画からは次のような認識を読み取ることも可能だ。それは「隷属的ではない集団的アイデンティティ構築や民族的自律性を獲得するためには、日本への敵対性を手がかりにせざるを得なかった」という認識である。日本人の製作者たちによる映画であっても、そうした認識を書き込むことができた点に、一九六〇年代の大衆文化の奥行きをみる思いがするが、それはここでは措いて、具体的な描写を確認しよう。沖縄で生き別れた雨宮と柴田（崔）の再開時の会話である。

「君は柴田上等兵だろ？」

「崔と呼んでください。崔文喜。僕はもうニセモノの日本人じゃない」

「ひとつ訊かせてくれ。戦場で人間同士の殺し合いの結果のバカらしさを、いやというほど知ったはずの君が、どうしてこんな」

「あの戦場では確かにそうだった。だがいまは違う。いまは僕は僕たちのために戦っている(21)」

マーケットをめぐる抗争の捉え方が対比的に提示された会話である。そもそも、本土決戦を遅らせるための「捨て石」としての沖縄に動員された朝鮮半島出身者の「柴田上等兵」と雨宮とでは沖縄戦の捉え方が異なっているはずだが、崔は「あの戦場では確かにそうだった」と雨宮の主張をいったんは飲み込んでいる。雨宮は戦争を類比的に持ち出して無意味な暴力であると強調し、崔は戦争とは異なる民族的主体に裏打ちされたものだと主張している。

両者の隔たりの根幹には、「日本人」と「朝鮮人」という民族性の差異が存在する。引用部で「僕たちのために戦っている」と述べた崔は、日本の敗戦によって突如降って湧いた民族的主体では不十分で、「ほんとうの」民族的主体の立ち上げは、日本人との抗争を通して勝ち取るべきものだと考えているのである。彼らにとって、「マーケット」の利権争いは象徴的闘争でもあったということだ。

一九四八年八月という時間

民族的主体の立ち上げにともなう敵対性という、この映画のもうひとつの主題を補強するのは、物語の大部分にあたる一九四八年八月という時間である。一九四八年八月という映画内の時間は、大韓民国の建国（一九四八年八月一五日）と同時期に設定されているのである。

ポツダム宣言受諾により日本の主権範囲から朝鮮半島が離脱したため、「朝鮮人も同胞」という「建前」は大きくゆらぎ、歴史的に蓄積されてきた朝鮮人に対する優越感や蔑視が払拭されることもなかった。そうした状況下の一九四五年一〇月、在日本朝鮮人連盟（朝連）が結成される。この団体は、政治的には反米・反吉田・反李承晩の運動体だった。民族主義者や共産主義者の関与が色濃く、日本の帝国主義、ひいては日本人に対する厳しい批判を展開したことで知られる。

一九四七年五月二日には外国人登録令が公布され、日本に在住していた朝鮮人と台湾人は、日本国内に住む「外国人」として登録が必要になった。五月三日に憲法が施行されるが、直前に日本人から切り離されたのである。その後、一九四八年四月三日の「四・三事件」を経て、八月に大韓民国が創建され、同年九月には朝鮮民主主義人民共和国が成立した。

以上の経緯からも明らかなように、一九四七年五月の外国人登録令から、一九四八年夏の二国の建国までのあいだ、日本在住の朝鮮人は帰属先としての国家を持たなかった。帰属先としての民族性が強く意識されたのは、ある意味では当然だったと言えるだろう。

『男の顔は履歴書』のなかで「九天同盟」が日本人の統治するマーケットに乗り込んだのは、まさにその時期だった。脚本を担当した星川と加藤泰が、映画の舞台を一九四八年八月に設定した理由は正確にはわからないが、次のように解釈することは可能だろう。つまり、「九天同盟」のマーケット襲撃は、朝鮮半島での新国家建設から地理的に隔絶した日本国内で民族的主体を確立するための、疑似的な「独立運動」だったと。そこにいくぶん自暴自棄なものがあったとしても、たんなる開放感のみからくる暴力だったというよりは、歴史的かつ思想的背景を持つ暴力として表象されていることに留意せねばならない。

関係の非対称性

映画内で闘争の舞台となったマーケットについても、その実態を確認しておく必要があるだろう。敗戦後、全国各地の都市部を中心に、人びとが物資を売り買いする商空間が発生した。敗戦後の混乱と物資不足、さらには国外から引き揚げて来る人びとや復員兵たちが、生存のために闇市に集った。この闇市（「ヤミ市」とも表記される）は、国家の統制外の商空間であり、それゆえに経済統制と治安対策の両面で、取締りの対象となった。[22] 一九四六年初頭にピークを迎えた闇市だったが、一九四六年八月に全国的かつ大規模な取締りを受けた。以後、闇市に混在していた多様な集団のなかから、従来の闇市から移転して、より自律的な商空間を形成しようとする動きが加速したと考えられる。移転した集団は、自らを「市場」や「マーケット」と自称することが多かった。これらの名称には「闇」との決別を内外にアピールする狙いがあったと言えるだろう。

藤田省三は一九六二年に発表された論考で闇市における自然発生的な秩序形成を論じている。藤田はそこに、民衆による公共性の立ち上げを読み込み、戦後の民主主義の可能性を指摘した（「昭和二十年、二十七年を中心とする転向の状況」『共同研究　転向　下』）。藤田が、闇市における不法行為の存在を知らなかったはずはない。それでもなお、そこに可能性を見定めようとする議論である。こうした藤田の問題意識を踏まえたうえで『男の顔は履歴書』に戻るならば、作品内で描かれる「秩序形成」は、「九天同盟」の横暴に対して結束する「日本人」たちの姿を通して描かれている。

【図版4】「朝鮮キャバレー」で踊る李恵春と崔文喜。

「九天同盟」の暴力にさらされたマーケットの日本人たちは、観客の同情を誘う無垢な被害者として表象された。大日本帝国の時代に日本人の優位性のもと、朝鮮半島出身者に対して行使された有形無形の暴力の記憶は忘却・消去されており、戦前の暴力が戦後に自らに跳ね返ってきたという可能性は一顧だにされない。

ここでは主人公の弟・俊次に注目しよう。彼は「九天同盟」に対抗するため、マーケットの日本人たちに「みんな誇り持てよ」と呼びかける。「まずは失われた連帯を取り戻すことだ」と述べて、「行動による社会変革、九天同盟はそれをやっている」と主張するのである。このとき、俊次もまた「九天同盟」のメンバーと同様に、民族性を手がかりに主体の「誇り」と「連帯」を模索している。俊次の存在は「九天同盟」と相似形をなしていることがわかるだろう。

その後、俊次は「朝鮮キャバレー」で働く李恵春と恋に落ちる。「朝鮮キャバレー」を経営するのは「九天同盟」だ。最終的に二人は「九天同盟」に射殺される。二人の死は雨宮が復讐の暴力に転じる契機として機能する。大切な仲間の死や忍耐によるカタルシスの遅延は、任侠映画やヤクザ映画のみならず大衆娯楽の作劇のパターンなのだが、この映画に関して言うと、俊次と李恵春の恋愛は敵対する組織の構成員同士の恋愛であり、若い世代による相互理解の可能性として表象されている。

映画内で描かれる二人の関係についても検討が必要な場面が存在する。それは、「九天同盟」との抗争の準備を進める俊次の前で、チマチョゴリを纏った李恵春が自ら横になり、私を好きにしてもよいからどうか抗争は思いとどまってくれと依頼する場面である。自らの身体を投げ出すという一種の犠牲によって紛争を調停しようとする李恵春の表象は、いびつな女性信仰であると同時に、作中での日本と朝鮮半島、男性と女性の非対称性を重層的に示すものだ。状況への関与の方法は限定され、その試みは必ず失敗に終わる――映画は、李恵春の主体＝服従をこのように表象するのである。しかも、対話の可能性を閉ざすのは「九天同盟」の銃弾であり、ここでも「先に仕掛けてきたのは奴らだ」という作劇になっている。任侠・ヤクザ映画の作劇が基本的には悪役への憎悪を必要とすると済ませることも可能だが、やはりここでは一歩踏み込んで、なぜ、このような無邪気な日本人表象・朝鮮人表象が成立してしまうのかを考えるべきではないか。

朝鮮人を他者とする製作者たちの認識から、当時の社会における認識に至るまで、問題は多岐に及ぶが、ここでは当時の映画配給の限界を指摘しておきたい。よく知られるように、韓国政府は一九九八年秋までの長きにわたって日本の大衆文化の受け入れを制限していた。つまり、一九六〇年代において、日本国内で公開された映画が同時代の朝鮮半島で公開される可能性はほとんどなかったのであり、製作者たちが想定可能な観客は、日本に居住している観客のみだった。

さらに主役に安藤昇を抜擢したことから、大衆的な任侠・ヤクザ映画の枠内で受容されると想定されており、そもそも社会的に論評の対象になるとはほとんど誰も考えていなかった。したがって、思想家ではない映画製作者たちが自らの「同化のまなざし」を自覚したり、批判的に捉えたりするような環境が、そもそも成立しにくかったのである。

朝鮮半島出身者に対して社会が抱いた優越感の戦後における残存・再強化を確認してきたが、それらは映画配給における日韓の断絶とも結びつきながら、ときとして意識されることのないままに大衆文化に流れ込んでいた。当時としては果敢に朝鮮人問題を取り上げた大衆映画であっても、その自閉性はぬぐいがたかったと言わねばならない。この問題が顕著に表れるのが、映画の最終盤である。

亡霊的記憶への「外科手術」

映画の最終盤で、雨宮は弟の死によって怒りを爆発させ、復讐者となる。もっとも、彼はその空虚さに気づいてもいた。それゆえ、逮捕・服役後の一九六六年には、再び社会への関心を喪失したニヒルな町医者に戻っている。ところが、雨宮のもとに突然運び込まれた崔の身体が、雨宮に変化をもたらす。崔の状態を看た雨宮は、ここでは手術は難しいといったんは断ろうとするが、翻意して手術台に向かう。ここで描かれているのは、亡霊的記憶を体現する人物の身体を治癒しようと試

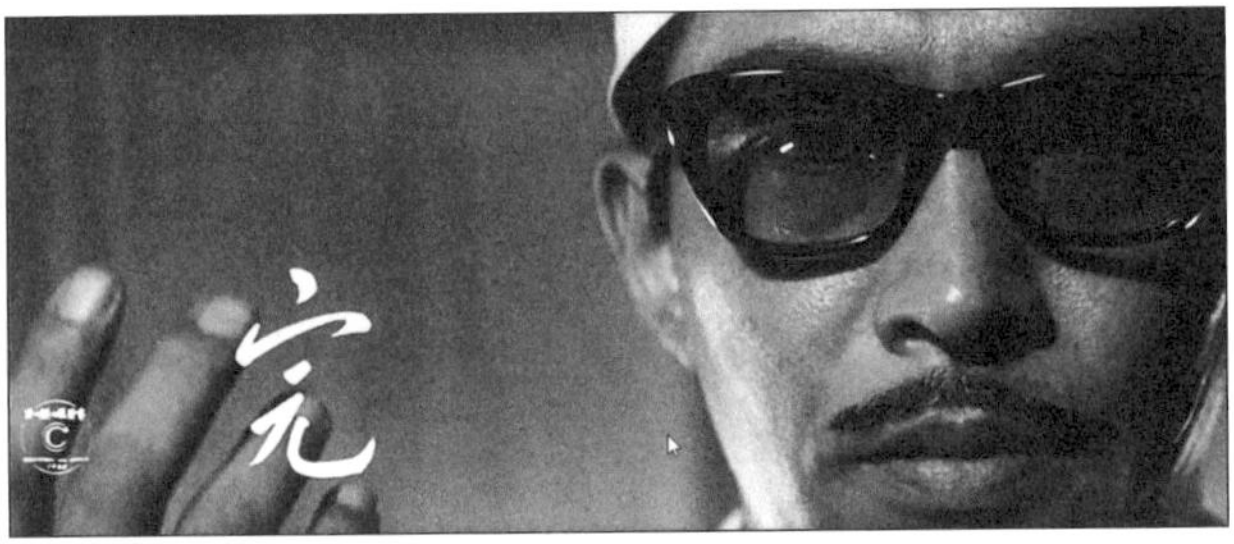

【図版5】映画の最後で手術に臨む雨宮。

みることで、自らの主体性を再構築しようとする雨宮の姿である。

映画は手術に取り掛かる雨宮の表情を正面から捉えて終わる。サングラス越しの瞳は、観客に何らかの意思を感じさせるような演出の意図を感じさせる。表層的・図式的に言えば、この最後の場面によって、雨宮が朝鮮人たちの悪行をただ懲らしめる者から、治療者へと変貌を遂げつつあると観客に予感させているのである。

しかし、その変化はあくまで表面的なものだ。そもそも、崔は交通事故によってまともに話せず、医者・雨宮の一方的な変化に過ぎない。

雨宮は崔に対して「僕にとって君はいつでも柴田だ」と語りかけるのだが、そこには先行研究が指摘する「同化のまなざし」が如実に表れている。「二人の関係はあの頃のままだ」という意味を込めた台詞であるが、名前を変えた崔に対して、「君はいつでも柴田だ」とは、控えめに言っても無神経な発話だと言わざるを得ない。製作者の意図はどうあれ、結果的に、相手の意識が不在のままに夢見られた「過去との和解」を、ややグロテスクなまでに強調する表象になってしまっている。

最後の場面にはまだ考察すべき点が残されている。それは崔の帰国先が韓国に設定されているという点だ。ここには、ふたつの注釈が必要である。第一に、日本政府と日本赤十字が推進した北朝鮮への「帰国事業」である。一九五九年一二月から八四年七月まで、三年間の中断期間を挟んで継続していた「帰国事業」は、合計九万三三四〇人におよぶ日本在住の朝鮮人を北朝鮮に送り出した(23)。その多くは、南朝鮮に生まれた人たちだったと言われるが、その背景には北朝鮮を「楽園」だとして朝鮮人の「帰国」を促したい日本の為政者たちの思惑に加え、左派による期待があった指摘されるところである。韓国を支持する在日本大韓民国居留民団（民団）は、当然ながらこの帰国事業に反対していた。

第二の注釈は、日韓基本条約である。一九六五年六月、日韓基本条約が調印された。この条約は、冷戦構造下の東アジアにおいて米軍の最前線基地を有する日本が、朝鮮半島にある合法的政府として韓国を選ぶことを意味してもいた。さらに、この条約によって、第二次世界大戦以前の朝鮮半島に関わるあらゆる「請求権」を解決するということに日韓政府が合意した。この条約により、日本在住の朝鮮人は韓国籍を取得可能になり、さらには日本の永住権取得も可能になった。

以上の二点を考慮に入れれば、映画内で崔が韓国を選んだとされていることの同時代的な意味が、みえて来る。崔が北朝鮮ではなく韓国を選ぶという設定は、一九四八年のマーケットでの抗争以後も、崔が母国への思いを捨てずにいたことを示すと同時に、そうしたほうが一九六六年当時の観客が国交回復後の日韓友好を想定しやすいと製作陣が考えたからであろう（それは日朝関係を故意に見落とそうとするものでもある）。

ここに、芸術と社会的問題意識と興業がせめぎ合う大衆的なメディア文化の表象を読み解く際の困難があると言える。『男の顔は履歴書』の場合は、朝鮮人と日本人の暴力抗争を描きながら、それを最終的には日韓友好へと飛躍させるという課題に沿って作劇を構想したために、ややいびつな構成となった。そのいびつさは、一九四五年から一九六六年にいたる東アジアの民族性に関わる言説・政治を取り込みながら、娯楽作品を完成させなければならないという問題意識に起因していた。ひとまずはそう言えるだろう。民族性に関わる亡霊的記憶を性急に和解の文脈に落とし込むことによって、表面的に傷痕を治癒しようとしたところにこの映画の限界があった。そして、それは映画内に限ったものではなく、当時の日本社会の中間的・代表的認識と呼応しているようにも思われるのである。

高倉健と映画『ホタル』

一九六〇年代に量産された任侠映画や七〇年代のヤクザ映画は、しばしばB級娯楽作的な位置づけを与えられたが、それゆえに監督や脚本家たちには自身の思想的課題を映画に投入する余地が残されていたとも言える。そして、当時から現代に至るまで、数多くの映画評論家たちによって、その意義を評価されてきた。

しかし、一九七〇年代から九〇年代と、基本的には日本映画界の斜陽が続くなかで興行収入を重視する経営判断はいっそう強まり、監督や脚本家たちの裁量の及ぶ範囲は概して切り縮められていく傾向にあった。そうした映画界のなかで、異質な存在感を放っていたのが「高倉健映画」である。高倉健を主役に据えることで、予算は限られている場合でも興行収入を期待することができたし、制作委員会方式をとった場合であっても高倉健が演じる役柄の立ち位置は大きく変わることなく「高倉健映画」としての統一感が出た。このような俳優は稀有である。

さらに、一九九〇年代以降は、過ぎ去った昭和を文字通り体現する人物として、当時六〇代だった高倉健と彼が演じる役柄とを重ねる態度が、製作者側にも観客側にも共有されていた。その集大成が『鉄道員』（一九九九年）だったが、以下では、『鉄道員』の次に高倉が主演を務めた映画『ホタル』（「ホタル」製作委員会、二〇〇一年）に焦点を絞りたい。この映画からは、民族的な敵対性という本章の主題と二〇〇〇年代初頭の日本の関係を考える手がかりを得ることができるからである。

企画の発端は、主演を務めた高倉健（一九三一～二〇一四）にあった。

一九九九年五月三〇日の午後九時からテレビ番組『知ってるつもり?!』（日本テレビ）が放映された。その日の特集は「知覧の母」と呼ばれた鳥濱トメだった。鳥濱トメは、特攻基地・知覧で軍が指定す

【図版6】映画『ホタル』東映、2012年、DVDパッケージ。

る食堂・富谷食堂を切り盛りしていた女性で、特攻隊員たちの最後の素顔を知る人物として戦後たびたび注目された人物である(24)。

このテレビ番組を観た高倉は、『ホタル』企画担当者となる坂上順に「世紀が変わる節目の時期にやらなくてはならないものが、あるんじゃないのかな」と伝えたという(25)。その後、高倉は坂上、監督の降旗康男(一九三四〜二〇一九年)らと知覧の特攻平和会館を訪問した。最初は映画の企画に乗り気ではなかったという降旗だが、特攻平和会館に並んだ遺影に直面して、幼少期の記憶がよみがえってきた。降旗は、一九四五年に長野の浅間温泉で特攻隊員たちと交流を持った経験があった。隊員の一人は降旗に「この戦争はもう負けだ。だからお前は決して少年航空兵などに志願しちゃいけない。大きくなったら科学者か外交官になれ」と言ったという(26)。そのときの隊員たちに再会したような気持ちを抱いた降旗は、映画の企画に前向きになれた。こうして映画『ホタル』の企画が動き始めることとなる。

映画の梗概を確認しよう。時代は主人公の山岡(高倉健)は特攻隊の生き残りで、現在は鹿児島で妻・知子(田中裕子)とともに漁業に従事している。ある日、彼のもとに戦友・藤枝(井川比佐志)の訃報が届く。藤枝は、青森でリンゴ農家を営んでいたが、昭和天皇の大喪の礼の日に、雪山で命を落としたのだった。はっきりとはわからないが、自ら命を絶った可能性もあった。藤枝は昭和に殉じたのだろうか。

こうして時代が平成へと移るなかで、山岡は富屋食堂の主人・山本富子(奈良岡朋子)からある依頼を受ける。それは、自分が持っている金山少尉の遺品を韓国の遺族に届けてほしいという依頼だった。山岡もまた、特攻出撃前の金山少尉から遺言を受け取っており、それを忘れずに生きてきた。「私は必ず敵艦を撃沈します。しかし、大日本帝国のために死ぬのではない。私は朝鮮民族の誇りを持って、朝鮮にいる家族のため、トモさんのため出撃します。朝鮮民族万歳、トモさん万歳。ありがとう。幸せに生きてください。勝手な自分を許してください」というのがその遺言だった。遺言のなかの「トモさん」は、現在の山岡の妻・知子である。

山岡は金山の遺族に遺品と遺言を届けるため韓国・釜山を訪問する。山岡は金山の遺言を伝えるが、金山の遺族たちは金山が特攻隊員として日本のために死んだことを認めようとしない。遺族たちは口々に次のように言う。「ここにいるみんなはどう思ってるか知らんが、私はキム・ソンジェは死んではおらんと信じている。朝鮮民族が日本帝国のために、それも神風で死ぬなんてことはあり得ない。わざわざ訪ねて来てくれて申し訳ないが、これ以上話すこともない」。「俺は信じない。ソンジェ伯父さんがたった独りの母親を残して日本のために死ぬはずがない。どうしてソンジェ伯父さんが死んで、日本人のあなたが死ななかった」。こうした厳しい言葉が投げかけられる。それを黙って聞いていた山岡が遺品を渡そうと近寄っても、遺族は受け取る気配をみせない。そこに、車椅子に乗った金山の叔母(金山の母親の妹)が寄ってきて「ありがとう、私が受け取ります」と手を伸ばし、「知子さん、こちらへ」と家に招き入れるのである。金山の叔母は、金山と知子の二人が映った写真を知子に手渡し、通訳を通して次のように語りかける。「知子さん。私の姉はいつもあなたのことをそう呼んでいました。ソンジェとあなたが揃って帰ってくるのを心待ちにしていました。日本のことを皆、悪くしか言わなかった時代に、うちの嫁は日本人だと隠しませんでした。私たち親族の宝物です。ソンジェのお墓はまだありません。日本から何の連絡もありませんでした。父母のお墓に参ってくださったら、きっと喜ぶと思います」。その後、映画内の時間は二〇〇一年に移り、養殖漁業を引退する山岡の姿を映して終わる。

異質な特攻隊映画

以上が映画の梗概である。この映画が、従来の特攻隊を描いた映画と質的に異なっているのは明らかだろう。特攻隊映画は基本的に、死を決意した青年たちの姿を描くことに主眼が置かれてきた。そのなかにあって、家城巳代治の『雲ながるる果てに』（一九五三年）や、神山征二郎の『月光の夏』（一九九三年）など、特攻作戦とそれを立案・実行した軍部の非人道性を批判する作品はあった。またスターたちを配役して興行成績を重視せざるを得なかった中島貞男の『あゝ同期の桜』（一九六七年）であっても、最後に米軍の記録フィルムを挿入して、特攻隊員たちが如何に無残な最期を遂げたのかを強調していた（なお、『雲ながるる果てに』でも米軍の記録フィルムが挿入される）。

従来の特攻隊映画はこうした批判的視点を確かに取り入れてきたわけだが、『ホタル』がこれらの作品とも明らかに異なるのは、歳を重ねた元特攻隊員たちの姿を描きつつ、大日本帝国の植民地主義にまで踏み込んでいる点である。

この難しい主題を脚本にした降旗監督と竹山洋の手腕は見事だが、それを映画として成立させた最大の要因は、佐藤忠男も指摘するように、高倉健という俳優の存在だろう。佐藤の言葉を借りれば、高倉健は「長年の映画人生をつうじて、何事であれいっさい弁明しない寡黙さこそが男らしいというところに、彼の存在自体がテーマであるような役柄を定着してきたスター」だった。[27] 佐藤は続ける。

だから彼が演じる山岡が、特攻隊を美化も批判もしないことがひとつの表現として成り立っている。黙っているだけで、自分は一人で戦友たちを追悼しており、そのことを他人に強いたりしたら恥ずかしいという気持ちがはっきりと浮かんでくる。[28]

梗概でも触れたように、山岡は釜山で金山の遺族から厳しい言葉を浴びるが、弁解もしないし謝罪もしない。ただ黙ってそれを聞くだけである。この場面をイデオロギーの「対立」として理解することはできないだろう。そこには遺族たちが表す敵対性があるが、それを受ける山岡と妻の知子は対抗したり反論したり誤魔化したりはせず、敵対性をそのまま受け止めているからである。佐藤忠男の言葉に付け加えることがあるとすれば、晩年の高倉健の寡黙で穏やかな、それでいていつも何かに耐えているような雰囲気の底には、大衆的な支持を得た一九六〇年代の任侠映画のなかの高倉健の残像がある。高倉健がかつて映画のなかで「魅力的」に人を殺めてきたことを知っている観客にしてみれば、彼が「残された者」を演じて韓国・釜山にまで供養に行き、遺族に責められるという『ホタル』の設定は、よく納得できるものだったのではないか。

山岡に明確な敵対性を示した遺族たちと知子への優しさを表した金山の叔母、そして山岡と知子らが、過去に対するそれぞれの思いを抱いたまま同じ空間で静かに座っているというこの終盤は、韓国を一面的に描くことを巧みに回避し、両者のこわばりがわずかにほぐれる様相を描いた巧みな作劇と演技だった。ひとまずはそう評価できるだろう。

主体にとり憑いて離れないという亡霊的記憶に注目してきた本章の問題意識からすれば、この映画は山岡夫婦が金山（ソンジェ）の亡霊的記憶と向き合う方法を模索する物語だと言える。山岡たちは金山の父母の墓参りを済ませはするが、映画はそれを亡霊的記憶と「和解」し、「憑きもの」を落とすというわかりやすい解決としては描いていない。映画の最後の場面では、山岡の漁船が処分され、観客にひとつの時代の終わりを強く印象付けるが、燃える漁船を見つめる高倉健の演技は年老いていく山岡と死者たちとの関係が終わったわけではないことを示しているようにも理解することができる。

「イデオロギー過剰」との批判と九〇年代の保守論壇

この映画に対しては、厳しい批判の声もあがった。批判の急先鋒に立ったのが八木秀次である。八木は、富屋食堂の主人・山本富子の台詞に注目する。富子は、特攻隊員たちの最後の交流の相手であり母親として慕われていた人物だが、彼女は特攻隊員たちを見送ることしかできなかったことに自責の念を抱いていた。そして自分たちが若い隊員たちを「殺したんだよ」と泣きながら声を荒げる場面がある。この場面の表象が特攻隊映画の系譜において持つ意味については、中村秀之による分析があるので確認してほしいが、本章ではこの場面が保守論壇でどのように受け止められたのかをみておきたい[29]。八木はこの場面について次のように述べる。

嗚咽しながらの絶叫演説に興ざめである。特攻隊員はただただ戦争の犠牲者であり、時の政府や軍部の指導者によって「殺された」存在として彼らを「語り継いで」下さいというのである。ここには特攻隊員への慰霊の思いの前に、権力への恨みと「戦争反対」の声がある。ホタルになって帰ってきたという話を聞いて、その心情は如何ばかりのものかと、切なさとともに慰霊と鎮魂の思いに駆られていた観客は、ここでいきなり政治的メッセージを聞かされる。そして、答えを与えられる。「そうか、彼らは殺されたんだ」と[30]。

八木の議論は、このあと「この場面はフィクションである」と続き、モデルになった鳥濱トメには戦争への恨み節はなかったのであり、「反戦演説」は似つかわしくないと主張する。当然ながら、鳥濱トメと映画のなかの「富子」とは別の存在だが、明らかにそうとわかるモデルがいる以上、このような批判もあり得るのかもしれない。

さらに八木は、金山少尉とその遺族の描かれ方にも疑問を呈した。「朝鮮人は日本のために死ぬはずがない、日本への思いがあるはずがない、という単純な割り切り」であり、それは映画公開時の観客には理解しやすいものだが、実態を描いているとはいえないと述べた。[31] こうした議論を踏まえて八木は、降旗康男監督の「イデオロギーの過剰」が顕著だが、「夫婦愛」や「美しい景色」「叙情的な言葉」によって「根底にあるイデオロギーを濁している映画」「映画「ホタル」は所詮、朝日新聞が作った映画であった」と結論付ける。[32] 映画のなかでは、その後に金山の叔母と知子とのやりとりがあり、遺族の側も一枚岩ではないことが示されているが、八木はその点をみようとはしない。

こうした批判の背景には、一九九〇年代に歴史認識問題をめぐって議論を加熱させた保守論壇の盛り上がりがあった。簡潔に整理しておくと、一九九五年に村山政権がアジア諸国への「お詫び」を表明すると、その姿勢に代表される戦後日本の左派の歴史認識を「自虐的」だとして否定する新たな保守勢力が伸長した。代表的論客としては、一九九五年七月に設立された「自由主義史観研究会」のメンバーだった藤岡信勝（一九四三〜）がいる。また、この研究会が母体となり一九九七年には「新しい歴史教科書をつくる会」が発足。「つくる会」のメンバーには、八木も名を連ねることになる。保守論壇の盛り上がりは、新たな読者や既存の読者たちの言論活動も刺激し、以後、彼ら・彼女らが「反日」的だとみなす対象を指弾する態度がこの社会で一定の位置を占めるようになった。さらに、長期不況にともなう国際社会での日本のプレゼンスの低下や韓国や中国の成長への嫉妬・憎悪が結びついて、愛国的な国家観はその求心力を高めたようにみえる。

以上の事態を考慮すれば、保守論壇を代表する人物の一人である八木が『ホタル』にこだわったのは、ある意味では当然だったと言える。あえてその言葉を使うならば、『ホタル』はすぐれて「反日」的な作品である。しかしその「反日性」は、（たとえば『男の顔は履歴書』が示すように）朝鮮人兵士・軍属たちとほんとうの意味では向き合おうとしてこなかった戦後の日本社会のツケを、この映画が払おうとしたからこそ生まれたのであり、「愛国」を言うものこそ率先して取り組むべき課題にこの映画が取り組んだからこそ生じたのである。

日本社会は、かつて大日本帝国の軍人・軍属としてともに戦わざるを得なかった朝鮮半島出身の死者たちをじゅうぶんには受け止めてこなかった。日本社会は、敗戦直後の闇市における朝鮮半島出身者たちの象徴的かつ現実的闘争をたんに「不法行為」「暴力行為」としてしか認識できず、『ホタル』が公開された二〇〇一年においても、そして二〇二〇年代の現在になっても、日本に対して発動する敵対性の意味を想像しようとはしない。しかし、それもある意味では当然なのだろう。『男の顔は履歴書』の雨宮は「僕にとって君はいつでも柴田だ」という言葉を、二人の友情は変わらないという意味で、「善意」から口にした。その「善意」の裏には、当人さえ気づかない、植民地支配の記憶を抹消したいという欲望が潜んでいる。フィクションのなかの雨宮は過去の人物ではなく、現在の日本社会の姿なのかもしれない。敵対性を受け止めきれない社会には、今後も植民地支配の残像が「亡霊」のように繰り返し立ち現れることになるだろう。

第3章　回帰する被爆の記憶——中沢啓治の「怒り」のゆくえ

幽霊たちの場所

第1章で扱った水木しげるの代表作のひとつに、『総員玉砕せよ!!——聖ジョージ岬・哀歌』(講談社、一九七三年八月六日、描き下ろし)がある。「九〇%は事実」と水木が記したこの戦記漫画は、最終盤の兵士の描写が特によく知られる。(1)

『総員玉砕せよ!!』に登場する人物たちの姿は、素朴で味わいのある線で表現されるのだが、最終盤ではこれまでとは一転して、点描を駆使して南の島で斃れた兵士たちを生々しく描いた。異様な迫力をもたらす点描からは、人が人でなくなる瞬間を克明に描こうとする強い意志を感じるとともに、「細胞単位の」とでも言いたくなるような緻密な細部へのまなざしが表れていた。第1章で確認したように「南から戻って来る者/戻って来られない者」を描き続けた水木だったが、『総員玉砕せよ!!』は帰還できなかった兵士たちの死体と白骨で終わっており、それ以上は物語を紡ごうとしない。

戻って来なかった兵士たちの存在は、陰に陽に、戦後日本の生者たちを縛り、そこからさまざまな作品が生まれた。兵士たちの死を見つめた作品は枚挙に暇がないが、フィリピンのレイテ島での戦いをまとめた大岡昇平『レイテ戦記』（一九七一年）や、最後の場面で亡霊となって歩き始める兵士を描いた映画『日本戦歿学生の手記 きけ、わだつみの声』（一九五〇年）が即座に思い浮かぶところである。

戦後社会を生きた元兵士たちの存在の様態を考えるとき、それを旧・日本軍に限定することはできない。宮本研の戯曲『ザ・パイロット』（『新日本文学』一九六四年一〇月号）には、原爆を投下した戦闘機のパイロットが登場する。彼は自らの罪の重みを自覚するに至るが、彼の祖国のアメリカは、彼を英雄とみなすことはあっても、罪人として裁くことはない。彼は自己処罰の欲求を実行に移して強盗を繰り返すが、精神異常と診断されて「有罪」とは無縁のまま戦後を生きる。その彼が長崎にやってきて、被爆者と交流するのだが、やはり彼の自己処罰の欲求は満たされない。日本人は優しく、「わたしの罪、認めてくれない。わたしを責めない。何にもいわない。何にもいわずに、わたしを許している。……わたし、それ、とてもつらい」と述べる。[2] それを聞いた老婆は、「だあれもまだ、ああたば堪忍してやるとはいうちゃおらんぞな」と返答する。この老婆は、長崎を訪れたアメリカ人への土産物としてガラクタを「原爆の記録」と称して売りつけている人物だ。彼女は次のように続ける。「ああたは、さまようとるたい。することののうなって、行くところののうなって、この長崎にまでさまようて来たとたい。幽霊たい。成仏しそこのうてうろうろしてまわる幽霊たい。それがああたの罰たい」[3]。ここで、読者や観客は、原爆を投下した爆撃機を操縦していたパイロットに対する憎悪が、老婆の奥深くに秘められていたと気づかされる。老婆は、彼の時間が一九四五年八月で止まっていることを指して「幽霊」と呼んだ。アメリカ人の「幽霊」が長崎をさまよっている、と。老婆の語りはさらに「長崎には、生きた幽霊が出るたい」と続き、これが「幽霊」だと言って自分の孫娘を呼ぶ。母を原爆症で亡くし、残った父親も精神の均衡を失ったという境遇にある美しい娘が、ここではパイロットと同様に「幽霊」と呼ばれている。長崎の大量の死者の「幽霊」ではなく、残された者である彼自身が「幽霊」なのだ。

本書ではこれまで、過去に囚われた元兵士たちの様態をフィクションの分析を通して多角的に検討してきた。しかしながら、戦場体験を戦争体験にまで広げて考えたとき、「体験」を反芻して生きたのは元兵士に限らないことにすぐさま気づかされるだろう。空襲によって生じた大量死の記憶もまた、戦後日本で長きにわたって紡がれてきた戦争の語りを、その都度規定する主要な要因となったからだ。

中沢の来歴と「ゲン」以前

本章では原爆体験を描いた漫画に焦点を当てる。その漫画とは、『総員玉砕せよ!!』が発表される直前、『週刊少年ジャンプ』一九七三年六月四日号から連載が始まった中沢啓二の『はだしのゲン』である。

『はだしのゲン』の主人公・中岡元（以下「ゲン」と表記）ほど、感情的な主人公は珍しい。ゲンは、笑い、泣き、歌い、怒る。もっとも、感情的というだけならば、少年漫画の主人公としてはよくある話なのかもしれない。しかし、ゲンは人をだますこともあれば、暴力をふるうこともある。さらに興味深いことに、天皇とそれを妄信した人びとや、軍国主義に関わった人びとに対して激しい怒りをあらわにするのである。つまり、ゲンの感情の矛先は、少年漫画にありがちな、わかりやすく抽象的な悪や特定の敵に向いているのではなく、具体的な歴史的出来事とそれをもたらした集団に向いているのだ。

一九四五年八月六日当時、広島には約三五万人の市民や軍人がいたと言われる。そのなかには、朝鮮半島、台湾、中国大陸の出身者がおり、少数ではあるが、アメリカ軍捕虜などの外国人も存在した。放射線障害を考慮に入れれば、広島の原爆による死者の数を正確に定めることはできないが、一九四五年一二月までに、約一四万人が死亡したと推計されている。もちろん、一九四五年で原爆が終わったわけではない。広島市が管理する「原爆死没者名簿」に記された名前は、二〇二〇年八月六日の時点で三二万四一二九人である。

では、戦後という時空間のなかで終わることなく続いた被爆の惨禍を、中沢啓二はどのように作品化したのだろうか。ゲンの生の過程を描きながら、中沢啓二はいかに自らの体験を理解しなおしたのだろうか。こうした問いを通して、『はだしのゲン』という物語を改めて考察したい(4)。

本章ではまず、中沢啓治の来歴を確認し、『はだしのゲン』というテクストが持つ歴史的・思想的射程を把握する。その後、以下の二点に着目して、被爆体験者の記憶のポリティクスとその表象について検討する。一点目は『はだしのゲン』の主人公「ゲン」が物語内で繰り返し想起する「見捨て体験」。二点目は、死んだ家族と同じ顔をしている生存者の問題である。

作者である中沢啓治自身の来歴を素描しよう。以下、中沢の自伝『はだしのゲン　わたしの遺書』（朝日学生新聞社、二〇一二年）と『「はだしのゲン」自伝』（教育史料出版会、一九九四年）の二冊に依拠しつつ、中沢の生の軌跡を簡潔に辿ることにする。

中沢啓治は一九三九年三月に広島市で生まれた。啓治が生まれたとき、すでに父・晴美と母・キヨミの間には二男一女がおり、啓治は三男だった。その後、弟が生まれ、五人きょうだいとなる。父・晴海は下駄の塗装業をしていたが、もともとは芸術家になる夢を抱いていた。また、若い頃に左翼系の劇団に所属して活動をしていたという経歴を持っていた。晴美は反戦思想の持ち主で、啓示が四歳のときには一年以上にわたって拘置所に拘留されていたという。

一九四五年八月六日、啓治は国民学校に登校後、忘れ物に気づいて家に戻ろうとしたところで被爆した。塀が熱線と爆風を遮ってくれたため、一命をとりとめたが、父・姉・弟を亡くしている。被爆後は母とともに約一週間ものあいだ路上で生き延びた。驚くべきことに、そのとき妊娠していた母は路上で赤子を産んでいる。その後、啓治たちは港町・江波の縁戚の家に身を寄せることになる。江波には陸軍射撃場があったが、そこは被爆後に臨時の火葬場になっており、約一カ月にわたって昼夜を問わず死体を焼き続けていた。江波では生まれたばかりの妹を亡くすという経験もしている。

江波での生活は一年ほど続いたが、原爆ドームの近くにバラック小屋を建て、そこに移り住んだ。啓治の楽しみは、市中の鉄くず拾いで稼いだ金で漫画を買ったり映画を観たりすることだった。手塚治虫の『新宝島』に出会い、漫画家を漠然と志すようになったのもこの頃である。小学六年のときには、都市計画の都合でバラックを立ち退かねばならず、市が指定した吉島に引っ越した。吉島は江波の対岸の町である。

啓治は高校進学を希望していたが、中卒で看板屋に就職し、働きながら漫画の投稿を始めた。戦後の漫画家志望の青年にとって、看板屋は相対的に魅力的な職場のひとつだったと言える。赤塚不二夫や池上遼一らも、中学卒業後に看板屋に就職していた。看板屋の仕事は多岐にわたり、肉体労働という側面もあったようだが、映画や商品の広告デザインを実地で学ぶことができるという点に、魅力があったのだと思われる。

その後、一九六一年に本格的にプロを志して上京し、西日暮里のアパートで独り暮らしを始めた。上京したからといって、自作を載せてくれる雑誌があったわけではない。啓治は、人気漫画家だった一峰《かずみね》大二のアシスタントをしながら東京の出版社への持ち込みを行い、活路を開こうとしていた。

一峰大二は、『七色仮面』や『ウルトラマン』のコミカライズで知られる漫画家で、少年誌を中心に活躍していた。中沢啓治の画風は、一峰を抜きにして語れないだろう。一峰の描画の特徴は、何よりもその力強く太い線にある。大きく見開いた主人公の瞳や、人物の枠線の太さが一峰の作画の魅力だと思われる。その描線には、やや躍動感に欠けるところはあるものの、安定した強度があった。こうした一峰の画風を、中沢啓治は部分的に受け継いだと言えるだろう。

母親の死と激しい怒り

一峰のアシスタント時代に、中沢はある忘れられない経験をしている。アシスタント仲間に、自分が被爆者だと話すと、異様な目つきで見られたのだ。そのときのことを、中沢は「なんとも冷たい、不気味な目でした」と回想している。それ以来、中沢は自身が被爆者であることを東京では口に出すまいと決意したという。

上京から一年後、中沢啓治は初めての連載を持つ。レース漫画「スパーク1」(『少年画報』一九六二年一二月号～六三年八月号)である。一峰のアシスタントも辞めてひとり立ちして連載に集中したが、読者のじゅうぶんな支持は得られず、再びアシスタントの仕事をし始める。今度は、『0戦はやと』で知られた辻なおきのもとでのアシスタントだった。

中沢は試行錯誤の日々を送っていた。この時期の中沢の仕事は、月刊誌での読み切りや、映画のコミカライズが多い。生活のために需要のある漫画を描き続けなければならなかった。この時点で、中沢が発表する漫画にはまだ原爆は登場していない。

【図版 1】ゲンたちが母親の骨を拾う場面。『はだしのゲン』第 7 巻、汐文社、1990 年。

中沢啓治が原爆を漫画に描くようになった契機は、母・キミヨの死だった。キミヨは一九五九年に一度倒れ、原爆病院に三年ほど入院した経験を持っていた。そのキミヨが、一九六六年一〇月に六〇歳で亡くなった。火葬場で遺骨を拾おうとしたが、白い破片が点々と残っているだけで、あとは灰ばかりだった。それを見た中沢は、原爆は死者の骨までも奪っていくと感じた。このときの経験は、のちに『はだしのゲン』のなかで再構成されることになる。

中沢の自伝を読めば、亡くなった母親を回想する際に、激しい怒りが噴出していることがわかる。一例として次の箇所を引用しておきたい。葬式に香典を持ってやってきて、母の遺体を解剖させてくれないかと頼んだというABCCに論評を加え、次のように続ける「なにひとつ救いの手を差し伸べるでもなく、標本のモルモットとして扱い、自国の核戦争のためにせっせと被爆者狩りをして、収集した資料をアメリカ本国に持ち帰っているＡＢＣＣを、私は許せなかった」と述べている。(5) 中沢は続けて「被爆者が死亡すると、ただちにＡＢＣＣへ通報される情報網の存在に驚きと恐怖感を覚えた」とも付け加えている。被爆者である中沢のもとにも追跡調査の書類が届いたというが、中沢はいつもそれを「心底怒って」破り捨てていたという。(6)

「はらわたが煮えくり返る」「心底怒りがこみ上げる」という原爆とアメリカへの怒りが、戦後二一年目の母親の死を契機に、中沢のなかで沸騰したのだった。母の葬儀を終えた中沢は、東京に戻る夜行列車のなかで次のように決意する。

母を苦しめ骨まで奪っていった原因の、戦争と原爆を改めて突きつめて考えてみた。突きつめ、突きつめていくと、どうしても突き当たって止まるのは、「日本人の手で戦争責任の追及がされ解決されてるか？」「日本人の手で原爆問題が追求されて解決されたか？」ということだった。両方とも曖昧にされ、なにひとつ解決されていない事実に、私は気がついた。これらを徹底的に追求して解決させないかぎり、父、姉、弟、妹、そして母の死は犬死ではないかと思った。私は、わが中沢家の怨みを晴らしてやるという気持ちになった。「日本政府だろうがアメリカ政府だろうが、戦争と原爆の責任を、言って！　言って！　言いつくしてやるっ！絶対に許さんぞっ！」と私はたった一人の戦いを決意した。(7)

【図版 2】「黒い雨にうたれて」の主人公がターゲットのアメリカ人と向き合う場面。『黒い雨にうたれて』エール出版社、1971 年。

こうして、中沢は漫画を通して「戦い」を開始する。漫画の題材にはなりにくいと考えられた原爆を題材にした漫画を、本格的に描き始めるのである。もちろん、原爆を漫画にするためには、工夫が必要だった。原爆への激しい怒りを、物語に落とし込むための工夫である。具体的には、青年向けの劇画雑誌に求められる暴力や性のイメージを織り交ぜた作劇法を探ったのである。完成させた作品を出版社に持ち込んだ中沢だが、最初は掲載を断られてしまう。最終的に中沢の作品を拾ったのが、芳文社の『漫画パンチ』編集部だった(8)。

こうして、「黒い雨にうたれて」(『漫画パンチ』一九六八年五月二九日号)が発表された。主人公はアメリカ人専用の殺し屋である。国家によっては裁かれない原爆投下という「犯罪」を個人的に断罪するため、彼は殺し屋になった。主人公は饒舌である。平和公園でガムを吐き捨てたアメリカ人観光客を殴りつけて、「第二次大戦中ドイツのナチがユダヤ人を大量虐殺し人道上許せないとぬかしやがってその裏でてめえたちヤンキーはナチ以上の大量殺人をやっているのだ……」と言い聞かせる。また、慰霊碑の前で「対岸の火事を見ている野次馬に原爆のおそろしさがわかってたまるか。そうだよなおやじさんおふくろさん、たえ子、進……英子……みんな呪え、戦争をおこし地獄の苦しみを与えた野次馬ども。呪って呪って呪い殺してやれよ……」とつぶやく。

物語の最後で、仕留め損ねた標的に背中を刺された主人公は、命からがらバラック小屋に駆け込む。そこにはある父子が住んでいた。父親は被爆者で、母親はすでに原爆症で亡くなっていた。娘は「生まれた時から原爆の遺伝で目が不自由だ」と説明される。この娘の名前は「平和」である。死を悟った主人公は移植用の角膜として自分の目を差し出すために、バラックにやってきたのだった。

以上が「黒い雨にうたれて」の梗概である。中沢がこだわった怒りや呪いによる敵対性の立ち上げは、アメリカと日本という原爆に関わるふたつの国家への厳しい批判に裏打ちされていた。殺し屋の被爆者は、国家による補償を求める人間ではなく、むしろどのような種類の補償でも決して癒すことのできない怒りを抱く人間として造形されている。そうした敵対性とは対照的に、この作品では、娘の名前が「平和」であるという設定に表れるように、誤読の余地がないほどの素朴さで、自己犠牲と平和への祈りが描かれてもいた。この作品を皮切りに、中沢は怒れる被爆者を描いた漫画を『漫画パンチ』に相次いで発表していく。

作品名	掲載誌	掲載号
黒い雨にうたれて	漫画パンチ	1968年5月29日号
黒い川の流れに	漫画パンチ	1968年7月10日号
黒い沈黙の果てに	漫画パンチ	1968年8月29日号
黒い鳩の群れに	漫画パンチ	1969年6月11日号
ある日突然に	週刊少年ジャンプ	1970年4月20日号
黒い蠅の叫びに	ポケット漫画パンチ	1970年5号（初出未確認）
何かが起きる	週刊少年ジャンプ	1970年8月17日号
赤とんぼの歌	週刊少年ジャンプ	1971年3月29日号
われら永遠に	別冊少年ジャンプ	1971年12月号
黒い土の叫びに	別冊少年ジャンプ	1972年3月号
永遠のアンカー	週刊少年ジャンプ	1972年7月31日号
拍子木の歌	週刊少年ジャンプ	1972年8月7日号
おれは見た	別冊少年ジャンプ	1972年10月号
黒い糸	漫画パンチ	1973年6月12日号

【図版3】『はだしのゲン』以前に発表された中沢啓治の「原爆マンガ」。

「黒い」シリーズの定型

「黒い」シリーズとも呼ばれる一連の作品で描かれたのは、次のような被爆者たちだ。米兵相手の売春婦は、客に梅毒を伝染させることで復讐を図る（「黒い川の流れに」『漫画パンチ』一九六八年七月一〇日号）。ベトナム戦争で使用される兵器の部品工場で働いていた青年は、「いっそのことまたこの日本が戦争をはじめればいい」「たとえこの日本が原爆をおとされようとその前に情報をつかんで逃げればいい」と言う社長を殺してしまう（「黒い沈黙の果てに」『漫画パンチ』一九六八年八月二九日号）。被爆による放射線障害の発症におびえる客引きの兄は、売春婦の妹に辛く当たる（「黒い鳩の群れに」『漫画パンチ』一九六九年六月一一日号）。

どの作品にも、深い傷痕が描かれるが、その傷痕から生じる感情は、怒りであり、恨みであり、恐怖である。一連のタイトルとして、中沢は「黒」という言葉を選んでいるが、そこには中沢自身のどす黒い感情が投影されていると読むことができる。

同時に、「黒」は中沢の絵の特徴を的確に表す言葉でもあった。中沢はしばしば被爆直後の広島をさまよう人びとを描いているが、皮膚が焼けただれたそれらの人びとの目は、死を暗示するかのように真っ黒に塗りつぶされている。[9] それは絶望であり、死の暗闇である。他方で、中沢の太い描線が生み出した人物たちの姿は黒い枠線によって誌面のなかで存在感を示している。黒々と塗られたゲンの眉や瞳は、彼の生命力の強さを能弁に語っていた。漫画なのだから黒のみで線を描くのは当然だとは言える。しかし、中沢にとって、黒はやはり特別な意味を有していた。「死の暗闇」と「生命の光」を一体に背負った人間たちを際立たせるために必要な配色、それが黒だったのではないだろうか。

内容的にも表現技法的にも黒を強調した「黒い」シリーズ。そこで中沢が描いた物語の基底には、すでに確認したように、原爆を落としたアメリカへの怒りと、無謀な戦争に突き進んだ日本の軍人と天皇への怒り、そしてそれらの怒りを手放した戦後日本社会への怒りがあった。たとえば、「黒い川の流れ」の主人公は、米兵の客と寝ているところを8ミリカメラで記録として撮影し、そのフィルムを自分の息子に託して次のように言う。「おまえが大きくなったら見ておくれ。かあさんのぶざまな姿が映っているから。その姿をよーく見て思い出すんだよ。なぜかあさんがパン助をしていたか」。つまり、梅毒を感染させることでしか復讐心を成就させられない自らの境遇と、それでもなお自分ができる範囲の復讐に乗り出した自分の「ぶざまな」姿をこそ、次世代に継承したいということだろう。なんという壮絶な継承だろうか。

原爆に関する公的な語りや追悼の態度には、「平和への祈り」という言葉に象徴されるような「静けさ」や「穏やかさ」がしばしば求められる。そこでは耐えがたいほどの怒りや悲しみは私的なものとしていったん抑制される。もちろん、それは公的な語りや追悼の態度に限定されるもので、被爆者やその周囲の人びとが怒りや悲しみを完全に手放したわけでは決してない。公的な場での「平和の祈り」からも、当事者たちの感情は推察可能だろう。しかし、そこでは、耐えがたいほどの怒りや悲しみが抑制され、他者に理解可能なものに変形され、ステレオタイプ化されがちであり、ときには見落とされることさえある。そうした傾向に抗い、戦後の被爆者とその周囲の人びとによる激しい感情をぶつけること。それこそが、「黒い」シリーズの狙いだったと言える。

編集者・長野規の「戦争調査」

一九六八年から七三年にかけて、中沢は『漫画パンチ』誌上で「黒い」シリーズを不定期に発表していた。この時期の中沢は多忙な漫画家だったが、その背景には漫画市場の拡大があった。漫画雑誌の創刊が相次いでいたのである。

当時の中沢は『別冊漫画アクション』（一九六八年九月創刊号、六九年一〇月四日号から隔週発行）で、二カ月に一作以上のペースで社会派の劇画を発表していたが、それに加えて『少年ジャンプ』（一九六八年八月一日創刊号、当初は隔週発行）でも定期的に作品を発表するようになる。『少年ジャンプ』に描く場所を与えたのは、編集者の長野規《ただす》（一九二六〜二〇〇一年）だった。中沢は自伝のなかで、長野への感謝の念を述べている。ここで、長野の来歴を素描しておこう。

長野はいわゆる戦中派世代で、早稲田大学付属第一早稲田高等学院在学中に一九四五年に学徒動員で入営した経験を持つ。長野の実家は蒲田区にあったが、一九四五年一五日の大空襲で全焼してしまう。四月一五日の空襲は、東京南部から川崎の工場地帯と住宅地を狙ったもので、一〇九機のB29が七五四トンの焼夷弾と一五トンの爆弾を投下するという大規模なものだった。東京大空襲・戦災資料センターによれば、罹災家屋は約五万戸、罹災者約二一万人、約九〇〇人が亡くなっている。[10]焼け出された長野が手にしていたバッグには、三木清の『人生論ノート』、谷崎潤一郎の『蘆刈』、マルクスの『資本論』が入っていた。[11]それだけが長野の全財産だったという。その後、召集令状を受け取り、一九四五年六月一五日に東京駒場の東部第一七部隊に入営する。

復員後の長野の足取りは詳らかではないが、復学・卒業後に小学館に入社。その後、集英社に移り、少年誌『おもしろブック』の編集部を経て、少女誌『りぼん』や幼年誌『こばと』の編集長を務めた。また、『少年ブック』の編集長を経て『少年ジャンプ』の初代編集長に就いた。さらに、長野は詩人としても知られ、集英社を退職後は詩人として活動したという人物である。

さて、長野は少年向け文化戦争の関係について一種のこだわりを持っていたようだ。長野のもとで働いた編集者の西村繁男は次のように回想している。一九六三年末から六四年にかけて、当時『少年ブック』の編集長だった長野は、東京都内の小学生を対象にした「戦争調査」を提案した。「戦争を知らない子どもたちが、戦争に関してどのような考えを持っているのか知りたい」というのがその理由だった[12]。長野の提案の背景には、少年誌における戦記ブームがあった。実録小説や漫画、図解などでミリタリーものが増えていたのだ。漫画では、辻なおきの『0戦はやと』、ちばてつやの『紫電改のタカ』、望月三起也の「戦闘機シリーズ」などがあり、第1章で扱った水木しげるも貸本で戦記漫画を数多く手がけていた。また、挿絵画家としては、小松崎茂や高荷義之らが活躍した。こうした少年向け文化が扱う戦争について、長野は違和感を覚えていたようだ。

長野は、都内の小学校数校に依頼して、四・五年生にアンケート調査を実施した。結果は両義的なものだったという。つまり、子どもたちは「戦闘機、洗車、空母などに代表されるメカニックに多大な関心を持っているが、戦争の悲惨さも平和の大切さもよく理解していた」という結果だった[13]。

さらに、この調査では、設問に対して五〇の言葉から答えを選ばせるというイメージ調査も実施していた。子どもたちが最も多く選んだ言葉は、「一番心あたたまること」としては「友情」、「一番大切に思うこと」としては「努力」。そして「一番うれしいこと」としては「勝利」だった[14]。長野はこの三つの言葉を『少年ブック』の編集方針として採用した（なお、長野による調査の時期は、回想によって違いがあるが、本章では『少年ブック』時代とした）。

「友情・努力・勝利」の三要素は『少年ジャンプ』にも継承された。『ジャンプ』の成功によって『少年ブック』は忘れ去られたが、この三要素は人口に膾炙して生き続けることになる。長野によるデータ重視の編集は『少年ジャンプ』の人気アンケートに表れたし、漫画家の専属制を取るという新機軸も長野の発想だった。(15) 辣腕編集者として評価されるのも頷ける実績である。

以上の経緯を考慮すれば、『少年ジャンプ』が中沢啓治に「社会派」の作品を求めたのもよく理解できるだろう。本宮ひろ志の『男一匹ガキ大将』や、永井豪の『ハレンチ学園』と並んで、中沢の漫画が掲載されたのは、戦中派編集長・長野の思想の表れだったと言えるのである。

中沢は沖縄の反基地闘争を描いた『オキナワ』を『少年ジャンプ』に連載する（一九七〇年五月二五日号〜七月六日号）。並行して、中沢は長野のもとで、少年向けに原爆体験を漫画化するという仕事も始めている。「ある日突然に」（一九七〇年四月二〇日号）、「何かが起きる」（一九七〇年八月一七日号）は、中沢自身の体験を取り入れた作品で、原爆少年漫画の嚆矢である。さらに長野は『別冊少年ジャンプ』誌上で漫画家自身が描く自伝漫画の企画を立ち上げ、第一回に中沢を抜擢して「おれは見た」（一九七二年一〇月号）を描かせた。これらの助走期間を経て、中沢は『少年ジャンプ』一九七三年六月四日号から、『はだしのゲン』の連載を始めるのである。

（右）【図版 4】平和祭への違和感を口にする街頭の人びと。『はだしのゲン』第 4 巻、汐文社、1975 年。
（上）【図版 5】アメリカ人への復讐を誓う道子の姉。『はだしのゲン』第 4 巻、汐文社、1975 年。

「平和」への違和と女性の怒り

『はだしのゲン』は、原爆投下を挟んだ戦中・戦後の広島を舞台に、自らも被爆者である主人公・ゲンと、多くの被爆者との交流を軸にして描かれた長編漫画である。戦争告発という中沢の意図が一貫しており、その意図を受け止めた読者の要望によって、『少年ジャンプ』の集英社ではなく、汐文社から単行本が出たのは福間良明らが指摘する通りだ。その後、学校の図書館や学級文庫に入ることで、誰もが知る「原爆漫画」となった。

これまで繰り返し確認してきたように、中沢は「黒い」シリーズのなかで、劇画的表現と設定を借りて、戦後社会への強い違和感を吐露していた。『はだしのゲン』は少年漫画としてスタートしたが、やはり戦後社会への違和感を引き継いでいる。むしろ、その違和感はより多面的に展開されたと言えるだろう。具体例を三つ確認しよう。

第一に、広島の平和祭の場面である。(16)仮装行列に加わった人びとが、明るく街を進んでいる。それに対して、街頭の見物客が「被爆者の悲しい気持ちなんてのはこいつらにはどうでもええんじゃ」と呟いている。死んでいった者たちを忘れることに慣れてしまった社会への抗議の念は、『はだしのゲン』でも変わらない。

ただし、次のように想像を加えることは可能だろう。仮装行列のなかにも被爆者がいたかもしれず、お祭り騒ぎも「被爆者の悲しい気持ち」の表れだったかもしれない、と。もっとも、中沢の態度が一面的だったと言いたいわけではない。原爆の傷痕を忘却したり、忘却を促進したりする風潮に対して、潔癖なまでに敏感だった彼の思想の表れだと受け止めたい。

第二に、少女たちの怒りである。「黒い」シリーズからの共通点は、女性の怒りとしても表れていた。原爆で母親を亡くし、顔に大火傷をおった夏江と勝子。母と弟を見捨てた経験を持つ光子など、『はだしのゲン』で重要な役割を果たす少女たちは、みな被爆者であり、激しい怒りを内に秘めた人間として造形されていた。女性たちが「売春」や「パンパン」という手段で復讐を実現しようと試みるという中沢の作劇については、解釈の分かれるところである。それでも、次のようには言えるだろう。中沢は、従来ならば「治療される客体」や「静かに死んでいく者」というステレオタイプの表象が与えられがちだった女性被爆者像の転換を図ろうとしていたのだ。原爆によって家族や教育の機会を失った人間のなかには、復讐の手段として「この体」しか残っていなかった者もいたのだという、中沢の戦後認識がここには端的に表れているし、そこに彼の批評的意図を読むことも可能だろう。

第三に、朝鮮半島出身者と朝鮮戦争である。『はだしのゲン』には、朝鮮半島出身者がたびたび登場する。ゲンたちに救いの手を差し伸べる朴さんもいれば、敗戦直後に日本人に対して乱暴を働く者もいる(そしてゲンは彼らに対して、限定的ではあるが、ある種の理解を示している)。また、朴さんとの関係を通して、朝鮮戦争が言及される箇所もある。戦後日本は朝鮮戦争を忘却する傾向にあったが、中沢はそうではなかった。

「ゲン」の体験と中沢の体験

これまでの議論を通して、「はだしのゲン」という作品が持つ広い射程を瞥見してきた。ここから先は、「見捨て体験」という主題の考察に移る。大切な他者が死の危機にあるなか、それを救うことができずにその場を離れ、自分だけが生き残ったという体験を指して、ここでは「見捨て体験」と呼んでいる。

「見捨て体験」を考察するための準備作業として、まずは中沢啓治の体験と漫画のなかのゲンの「体験」について整理しておかねばならない。中沢の体験とゲンの「体験」は、どこが同じでどこが違うのだろうか。中沢の来歴についてはすでに確認済だが、その被爆体験をより具体的に確認して、両者の違いを摘出しよう。以下、中沢の自伝『「はだしのゲン」自伝』（教育史料出版会、一九九四年）の記述を整理する。

一九四五年八月六日、中沢啓治は国民学校への通学中に被爆した。たまたまそばにあった塀が熱線を遮ってくれたため、一命をとりとめたが、すぐ近くにいた近所のおばさんは吹き飛ばされ、黒焦げになって死んでいたという。異常事態に驚き、なんとか家に帰ろうとする途中に中沢が見たものは、男か女かわからないほど黒焦げになった人間の群れだった。人びとは、静かに、ゆっくりと、水を飲んだり、身体に刺さったガラスの破片を抜いたりしていた。中沢はそのときの様子を、「人間は、一気に極限状態の修羅場に叩き込まれると、なにひとつ感情のこもった言葉を発せず、黙々と本能的な動作をするだけなのだ」と回想している。(17)

【図版6】中沢啓治『「はだしのゲン」自伝』（教育史料出版会、1994年）のカバー。

家へと急ぐ中沢だったが、炎が行く手を阻んで家に戻ることができない。泣きわめいていると、隣の家のおばさんが母親の居場所を教えてくれた。その方向に進んだ中沢は、路上に座り込んでいる母親を発見する。母親はなぜか手に赤ん坊を抱えていた。臨月で膨らんでいたお腹も、もとに戻っていた。驚くべきことに、中沢の母親は、原爆のショックで産気づき、路上で

【図版 7】父・姉・弟の最期の場面『はだしのゲン』第 1 巻、汐文社、1975 年。

女の子を出産していたのだった。

数日たって、生活がやや落ちついてから、中沢は母の口から家族の最後を聞いた。中沢の姉は太い柱につぶされて即死。父親と弟は、倒壊した家屋に挟まれたが抜け出すことができず、迫りくる炎に焼かれて死んだというのである。

以上が中沢が回想する被爆直後の体験である。これに対して、漫画『はだしのゲン』で繰り返し描かれるゲンの被爆体験はどのようなものか。

ゲンは国民学校への登校中、近所のおばさんと会話している最中に被爆する。近くにあった塀によって熱線が遮られたために助かったが、話していたおばさんは即死だった。ここまでは中沢啓治自身の体験と同じである。

その後、自宅に戻ると、ゲンの父親、姉の英子、弟の進次が、原爆による突風で破壊された家屋の下敷きになっていた。ゲンと母親は、倒壊した家屋からなんとか家族を引き出そうとするが、どうしても上手くいかない。そうしているうちに、火の手が迫って来る。ゲンと母親は、ここに残って家族と一緒に死のうと決意するが、父親はそれを許さなかった。自分たちを置いて早く逃げろと二人を諭すのである。

痛い熱いと泣く弟の進次の気を紛らわせようと、ゲンは瓦礫のなかから軍艦の模型を取り出して、進次に手渡す。そのあと、ゲンは母親と逃げようとするが、母親は泣き叫んで動こうとしない。家族が生きたまま炎に包まれていく様子をただ見守ることしかできない母親は、突如笑い出してしまう。母親の異常な姿を目にしたゲンは「うわーん、かあちゃん気がくるったんか」と心配することしかできない。そして、偶然通りがかった知り合いの「朴さん」の助けを借り、正常な判断ができなくなった母親を引きずるようにして、その場を離れるのだった。結局、ゲンと母親は、炎に包まれて死んでいく家族を置いていくしかなかった。

中沢啓治の体験と、ゲンの「体験」を比べたとき、その相違点は明らかである。中沢啓治は家族の見捨て体験を母から聞いており、直接見たわけではない。これに対し、ゲンは、彼自身が見捨て体験の当事者として描かれているのである。つまり、中沢は、母親から聞いた話と自らが体験した惨状とを合わせて再構成し、それをゲンに目撃させるという描写を選んだのだった。

ゲンの被爆体験を描きこんでいく作業を通して、中沢は家族の最期を見た母親の体験を辿っていたとも言える。漫画のなかのゲンの瞳は、いつも太い線で描かれ、大きく見開かれているが、ゲンはその瞳で惨状を漏らさずに見てしまった。ゲンの力強い瞳は、母親の視点で家族の最期を「見る」中沢自身の瞳に重なっているように思える。(18)

蛇足かもしれないが、中沢啓治自身が見捨て体験を直接経験してはいないという事実は、フロイトに基づくキャシー・カルースの次のような分析と合致する。それは、「死の威嚇に対して精神が取り結ぶ関係が衝撃となるのは、その威嚇を直接体験したためではなく、その体験をリアルタイムで体験できずに逃してしまい、知識の中にきちんと登録できないという事実のためである」という分析である。[19] 中沢が母親の言葉を思い出し、それを手がかりにして、圧迫され焼け死んでいく家族を漫画のコマのなかに描き続けたのは、いわば、中沢自身が逃がしてしまった家族の死を、自分のものとして把握するための試みだったと理解できる。

被爆直後の「見捨て体験」

理解の範囲を超えた直視しがたい体験の記憶は、心理的防衛機制によって意識の下に抑圧されがちである。しかしながら、それは完全に隠されるのではなく、何らかの形をとって繰り返し表面化する。個人の心理に表れるこのような現象は、いまではトラウマという言葉で広く知られている。

では、ゲンのトラウマは具体的にどのように表れ、どのようにゲンを襲うのか。ゲンが家族の見捨て体験を思い出してしまう場面を整理してみよう。『はだしのゲン』のなかには、ゲンだけでなく、母が思い出す場面や、母の話を聞いた兄が家族の最期を想像する場面も存在するのだが、ゲン自身による想起に限ると、九つの場面にまとめることができる。巻数の表記は汐文社発行の単行本のものである。

①：第二巻、父、姉、弟と再会するという願望充足の夢を見たあと。
②：第二巻、米をわけてもらうためにゲンが浪曲を披露する場面。
③：第二巻、「進次」と瓜ふたつの少年「隆太」と出会ったとき。
④：第二巻、家族の死を確かめるために家の跡地を掘り返すとき。
⑤：第四巻、原爆投下から二年後の一九四七年八月、妹の「友子」の治療費を稼ぐ途中。
⑥：第五巻、一九四七年一二月、小学校で「ぼくの家族」という作文を書く際。
⑦：第五巻、一九四八年一月、市会議員に立候補した鮫島の演説を聞く際。
⑧：第七巻、被爆体験を描いた小説を音読しているとき。
⑨：第一〇巻、中学卒業後の一九五三年、「光子」の見捨て体験を聞いたあと。

このように整理してみると、ゲンが見捨て体験を思い出す場面は、『週刊少年ジャンプ』掲載時が最も多いということがわかる。『週刊少年ジャンプ』のあとに掲載された『市民』『文化評論』『教育評論』誌上において、ゲンが見捨て体験を想起するのは、わずかに二回だけである。

計九回の想起についてまず指摘できるのは、『週刊少年ジャンプ』という少年誌での連載においては、読者に「ゲン」の苦しみを繰り返し説明する必要があったというメディアの特性である。『週刊少年ジャンプ』での連載中、「はだしのゲン」の単行本はまだ発行されていなかったため、途中から「はだしのゲン」を読み始めた読者に対して、ゲンの原体験を定期的に説明する必要があっ

【図版8】 光子が自身の見捨て体験を回想する場面。『はだしのゲン』第10巻、汐文社、1987年。

た。さらに、目をそむけたくなるような原爆投下直後の惨状の描写は、雑誌にとっては読者へのアピールポイントであったという側面も否定できない(もちろんそれが中沢の意図ではないだろうが)。加えて、すでに指摘したように、中沢は母親の視点を借りて見捨て体験を描いていたが、単行本の第七巻における「ゲン」の母親の死は、見捨て体験を漫画化するための心理的契機が作品内から失われたことを意味していた。

さて、計九回の想起のなかで、最も重要だと思われるのは、最後の事例である。全一〇巻に及ぶ物語のなかで、ゲンが最後に自身の見捨て体験を思い出すのは、単行本の一〇巻、ゲンが恋焦がれる光子との会話の場面だ。ゲンは、そこで初めて、家族以外の他者と見捨て体験を共有する。以下、その場面を説明してから、分析を付け加えたい。

光子は、誰にも言わないと決めていた秘密をゲンに打ち明ける。「元くん、う、うちゃ人を二人も殺した殺人者なんよ」。そう話し始める光子の「体験」は、次のように整理できる。原爆が炸裂したとき、光子は防空壕のなかにいたために、熱線を浴びずに生き延びた。防空壕から這い出すと、熱線で皮が焼けただれた母と弟が目に入る。光子は三人で逃げようとするが、母と弟は、火傷がひどくて歩くことができない。光子は母親を背負い、弟を引きずるように歩き始めるが、どうしても前に進めない。このままだと自分も焼け死んでしまう。そう悟った光子は、母と弟を捨てて逃げ出した。炎のなかから聞こえてくる母と弟の声を振り切って逃げたのである。それ以来、光子は自分を責め続けてきた。話し終えて「ううう、いまもこの耳底で苦しんで死んでいく母と弟の声が響いてくるんよ」と苦しむ。

光子の話を黙って聞いていたゲンは「わしも光子さんと同じ殺人者じゃ」と述べて、光子の話を引き取る。ゲンが投下直後の惨状と見捨て体験とを思い出してしまうのは、この場面である。漫画のコマのなかで、見捨て体験が反復されるのだ。

この場面での二人の行為は、いったいどのような意味を持っていたのだろうか。自らの見捨て体験を初めて他者に伝えようとしている光子は、トラウマ記憶を物語に変換している。口頭でのコミュニケーションで他者に説明する際には、物語として再構成することでしか体験を説明できないからである。他方で、ゲンは自らの見捨て体験を光子に説明する際に、光子が口にした「殺人者」という言葉を借用している。

光子は彼女の見捨て体験を、「うちゃ人を二人も殺した殺人者なんよ」という最も苛酷な言葉で振り返り、一連の物語として語ることで、思い出したくないはずの悲惨な記憶を意識的に把握しようとしている。それに対して、ゲンはそれに耳を傾けることで光子の語りに関与する。加えて、ゲンは、家族を見捨てた「殺人者」であることを光子と共有し、光子の前で思い出すことで、結果的に自らの過去をも再び意識化する。ここで二人が展開した体験のすり合わせ作業は、いわば双方向的なセラピーなのである。

単行本で全一〇巻、掲載誌を変えて約一五年に及んだ連載の最終盤で、光子に促され、「ゲン」は自らの見捨て体験に言葉を与えることができた。「殺人者」という穏当ではない光子の言葉を踏襲して、見捨て体験を理解しなおしたのである。もっとも、「殺人者」という言葉・認識を与えられたからといって、光子とゲンのトラウマが完全に治癒されたとまでは誰にも言えない。しかしながら、二人は自らのトラウマ体験と向き合う方法をとりあえずは獲得したのであり、そうであるがゆえに、これ以降、『はだしのゲン』の物語のなかで見捨て体験が想起されず、連載終了が可能になった――物語だけを取り出して論じるならば、そう理解することができる。

顔の反復

次に本章の第二の主題、「顔の反復」に移ろう。[20]

『はだしのゲン』の読者であれば、隆太のことをよく覚えているだろう。原爆によって焼け死んだ弟の進次と、ほとんど同じ顔をした「浮浪児」の少年・隆太である。[21] 隆太とは別に、姉にそっくりのうしろ姿をした夏江という登場人物も存在する。廃墟のなかを歩くゲンは、あるときには隆太を弟だと勘違いして一方的に再会を喜び、またあるときには夏江を姉だと見間違えて抱きつくのである（振り向くと、顔に火傷の跡があり、夏江ではないことがすぐにわかるのだが）[22]。

こうした出来事は、中沢啓治の創作ではない。実際に、原爆投下直後の広島では、生き残った者が親族や友人、あるいはその死体を探し回り、見つけたと思えば人違いだとわかり落胆するという経験は、珍しいものではなかった。たとえば、原民喜の短編小説「夏の花」の末尾に描かれた挿話がただちに思い浮かぶ[23]。

【図版9】隆太と初めて出会う場面。ゲンと母親は隆太を進次だと思い込んでいる。『はだしのゲン』第2巻、汐文社、1975年。

捜索する側は、身体的特徴を手がかりに、わずかな類似点を求めて人を探す。しかし、探される側は、全身に傷を負い、煤や塵芥、さらには「黒い雨」で顔や身体を汚していたため、一目で見分けがつかないということもあり得たのである。中沢はおそらく、こうした出来事が広島ではしばしば見られたことを知っており、それを作品のなかに取り入れたのだろう。

現実世界において「ほとんど同じ顔」というと一卵性双生児が思い浮かぶが、どんな双子も『はだしのゲン』における「進次」と「隆太」ほどには似ていない。漫画では、人間の顔は多かれ少なかれ記号的に描かれるため、「ほとんど同じ顔」を実現してしまえる。漫画だからこそ可能な顔の反復。それを描いた『はだしのゲン』というテクストは、いったいいかなる問題を提起しているのだろうか。それは「記憶と分身」とでも呼ぶべき問題系である。

死んだ弟とそっくりな隆太は、生き残ったゲンと母親の喪失感を、一時的に埋めることができる存在だった。ゲンも母親も、それが一時的であることはわかっていながら、生きている家族をもう一度見たいと望み、隆太の身元を引き受けるのだ。家族にもう一度会いたいと熱望するからこそ、隆太が弟の進次に見え、夏江のうしろ姿に姉の姿を見るのである。つまり、隆太と夏江は、最初は「分身」として家族に取り込まれるのだ。そして、ともに時間を過ごすなかで、隆太は進次の「分身」であることを止め、隆太自身としてゲンたちとの関係を作っていく（夏江の場合も基本的には同様に理解できるが、隆太と異なるのは、顔に残った火傷である）。

一次的な疑似家族という側面は、隆太と夏江の視点からしても同様である。隆太はゲンの母親に、自分の母の姿を投影していた。親しい人間の死を受け入れられないゲンたちは、当初は「分身」を近くに置いた。しかし、次第にその「分身」が独自の人間であることを受け入れていく。それは、彼ら彼女らにとって、必要な〈喪〉の作業であると同時に、血縁によらない新たなコミュニティの立ち上げを自覚する過程でもあった。〈喪〉の作業を共有した疑似家族は、こうして家族になるのだ。

身代わりの赤ん坊

『はだしのゲン』における顔の反復という主題は、隆太の事例だけではなく、ゲンの妹で、まだ赤ん坊の友子をめぐる物語としても表現されている。

ゲンの母親が被爆直後に産んだ友子が、原爆スラムに住む人びとに誘拐されてしまうというエピソードがある。時期は原爆が落ちてから約半年後の冬。友子を誘拐したのは、原爆によって左足を失い、顔も半分焼けただれてしまった被爆者の男だった。しかし、彼は金や物品を要求するわけではない。彼は自分の娘の心の傷を癒してやるために、友子を誘拐したのである。

彼の娘は、燃える市中を逃げ回るなかで夫と子どもと別れてしまい、そのままふたりは行方不明になってしまった。おそらく亡くなったのであろう。娘はまだ我が子を亡くしたことを受け止められず、三カ月間、廃墟になった広島を探し回っていた。その後、放射線障害を発症し、現在は床にふせりながら、「お父さん、泰子はまだどこかで生きている」と泣くのである。

娘が死ぬ前に、赤ん坊を抱かせてやりたい。彼は赤ん坊のいる家に「子どもを貸してください、娘に抱かせたいのです」と頼んで回るが、「ピカの毒を持っている気持ちの悪い人に貸せるか」と、断られてしまう。そして、とうとう友子を誘拐するに至る。泰子と友子は瓜ふたつだったからだ。

【図版 10】「誘拐」した友子を溺愛する被爆者たちのコミュニティ。
『はだしのゲン』第 4 巻、汐文社、1975 年。

彼が友子を連れてくると、彼の娘は生きる希望を回復させる。また、スラム街に住む近所の人びとも友子を「お姫さま」と呼んで可愛がり、友子は人びとの生きがいになっていく。妹を取り返すためにゲンが抗議しても、スラム街の人びとは友子を返そうとしないばかりか、ゲンはリンチにあってしまう。誘拐犯の娘が死んだあとも、人びとは友子を返そうとしない。

スラム街に住む人びとのなかには、子どもを原爆で亡くした人も多かった。そうした家庭もまた、友子を必要としていた。友子はある家庭では「千恵」、ある家庭では「秋江」という名前で呼ばれていた。「千恵」も「秋江」も、それぞれの家庭が亡くした子どもの名前である。友子は一種の生まれ変わり、あるいは「分身」として、赤ん坊を失った生存者たちの生き甲斐になっていたのだ。しかしながら、最終的に友子は放射線障害によって血を吐いて死んでいく。[24] かつて子どもを被爆で亡くした者たちは、「千恵」や「秋江」の喪失までも繰り返してしまうのである。[25]

「ゲン」をはじめとする登場人物たちは、見捨て体験というトラウマ記憶に繰り返し襲われるだけでなく、「同じ顔」をめぐる喪失の物語を自ら反復している。中沢はそれを執拗なまでに描く。これによって読者は、主要な登場人物たちの背後に存在するおびただしい数の死者の存在を感知し、登場人物たちが残された者であることを納得するのである。そして、まさにその反復によって、登場人物たちは原爆体験の意味――すなわち、身体的な傷だけではなく、また精神的な傷だけでもない、放射線障害という原爆に特有の被害のあり方を理解するのだ。

『はだしのゲン』の現代的意義

最後に『はだしのゲン』の現代的意義について考察しておきたい。考察に際して手がかりにしたいのは、『はだしのゲン』の閲覧制限問題である。

二〇一三年八月、島根県松江市内の学校図書館で『はだしのゲン』の閲覧が制限されているという事実が明るみに出た。閲覧制限という措置は、ある市民が『はだしのゲン』の歴史観を問題視し、松江市に学校図書館から『はだしのゲン』を撤去するように陳情したことに端を発する。これを受けた松江市の教育委員会は、歴史観の問題を直接問題にするのではなく、『はだしのゲン』の描写が子どもには過激すぎると判断したようだ。一種の「自粛」であろう。結果的に、松江市内の小中学校のうち『はだしのゲン』を所蔵していた三九校すべてが閉架措置を取った[26]。その後、世論の反対もあり、閉架措置は撤回されたわけだが、現代における歴史認識問題の焦点のひとつとして、この漫画があることを再認識させられた。

そもそも、『はだしのゲン』を発表する際に、中沢啓治は次のような決意を固めていたという。

だれが戦争を仕掛けるのか、天皇制ファシズムのもとで、自由な言論も行動も思想も奪われ、侵略戦争に突入していく過程を描かずして、戦争と原爆は語れないと日ごろ思っていたから、父の特高警察に捕まり苦しんだ体験も取り入れ、日本の暗い恐怖政治の部分をたっぷり描き込んでいきたい[27]。

中沢のこの言葉は、後年から回想されたものであり、『週刊少年ジャンプ』で連載開始当時から同様の問題意識を持っていたのか、あるいは掲載誌が移り変わるなかで芽生えた意識なのか、検証が必要ではある。ただし、ここで問題にしたいのは、『はだしのゲン』が、現代日本社会において、イデオロギー的側面を強調されがちであり、それが自国中心的な歴史観によって排撃されているという点である。『はだしのゲン』を排撃する人びとは、ある意味では中沢啓二の歴史観を、漫画から忠実に読み取っているとも言えるだろう。

自国中心的な歴史観をより強固にしたいと願う者にとって、『はだしのゲン』は読まれるべきではない物語であり、それが閉架措置を求めることにつながっていったと理解できる。その意味で、松江市で一時的に行われた「閉架措置」と、それに反対し講義する人びとの活動は、極めて象徴的な事態だった。

歴史と疑似的なトラウマ

日本では、広島と長崎に原爆が落とされたことは、誰もが知っている。しかし、単なる知識以上の思想や行動が生まれることは、現代においては、ほとんどないと言っていい。現代日本社会において、広島と長崎の被爆経験に思いを馳せることは、平和の祈りという誰もが賛同しうる行為と結びつくことで、政治的・倫理的に「正しい」ものとされている。しかし、その「正しさ」は、結局のところ、「北朝鮮の核開発に遺憾の意を表明しながら、既存の核保有国については黙認する」という態度に帰着しており、その意味では、極めて表面的だと言わざるを得ない。

たとえば、現代日本において、一方では核廃絶の主張が存在し、他方では日本の安全はアメリカの核戦力によって保障されているという主張が存在しているわけだが、被爆を想起し平和を祈るという態度が、異なる主張の対立点を霧消させてしまっているのだ。さらに、被爆者の高齢化が言われて久しく、ますます過去の原爆や現在の核兵器について語ろうという機運が弱まっている。こうした状況で、広島・長崎の被爆体験や現代世界の核兵器の問題は、いっそう扱いにくいものになっている。おそらく、松江市の閉架措置騒動の事例のような『はだしのゲン』の抑圧・否認の動きが表面化したのは、こうした現状と無縁ではないはずだ。

広島の原爆を扱った漫画『夕凪の街 桜の国』（二〇〇四年）や『この世界の片隅に』（二〇〇八〜〇九年）が批評家から高く評価された漫画家・こうの史代も、現代における原爆の扱いにくさを証言している。彼女の表現については本書の第6章で取り上げるため詳述は避けるが、こうの史代の作品は、被爆後の広島が舞台であっても、『はだしのゲン』のような残酷描写や政治的主張が顔を出さない。その意図を彼女は次のように述べている。

『はだしのゲン』というマンガは有名ですが、その後、原爆を扱ったマンガは非常に少ない。差別表現に対する規制が非常に強くなって、マンガ家自身がこういうテーマを扱わなくなったからだと思います。文句や抗議を受ける前に自粛してしまうような、そういう風潮が長く続いていました。それで私は、なるべくそういう規制に引っかかりにくい、マンガを読み込まないとわからないようなつくりにしようと考えました。(28)

ここで示唆されているように、『はだしのゲン』が描かれた一九七〇年代と現代とでは、創作表現をとりまく社会のあり方に大きな違いがある。一九九〇年代以降の日本社会では、それが政治的なものであれ、人権や性表現に関するものであれ、何らかの偏見を助長するような表現に、マスメディアも書き手も読み手も、敏感になっていたのである[29]。

この傾向を意識して、こうの史代は被爆者への偏見を少しでも助長しかねない表現を避けながら、原爆というテーマを描こうとした。被爆の遺伝的影響や、生々しい火傷の跡、被爆者に対する差別、さらには明確な政治的主張などを明示的に描くのを避けながら、被爆者と被爆二世の人生を描くという困難な作業に取り組んだのだった。現代的な原爆漫画として称揚された『夕凪の街 桜の国』の背景には、九〇年代以降の原爆の「扱いにくさ」があったのだと言えるだろう。

日本では、小・中学校で被爆体験を学ぶ。また、毎年八月になると広島と長崎の式典が全国規模で報道されている。原爆被害は、個人にとっても社会にとっても、どれだけ想像力を働かせて想起しても到達することのできない「トラウマ的な経験」だということもまた、一種の「常識」として理解されている。これは皮肉なことである。日本には「さわらぬ神にたたりなし」という慣用句があるが、原爆被害の問題は、扱いにくい面倒な問題として、言い換えるならば「擬似的なトラウマ的体験」として安置されているのだ。現在の日本社会において、原爆被害を想起することが、言葉本来の意味での「トラウマ」になることはほとんどない。直接体験者が急速に減り続けている現代では、むしろ、原爆を想起しても何の苦痛もともなわないという人がほとんどなのではないか。現代日本社会において、原爆体験という歴史的出来事が「擬似的なトラウマ的な体験」として処理されているのだとすれば、それは、原爆体験が今なお抑圧され、否認されて続けていることを示していよう。『はだしのゲン』は、その抑圧を解くための手がかりとして最適のテキストであることは疑いのないところである。

第4章　方法としての〈ゆがみ〉——別役実と大林宣彦

「ヒロシマ」へのふたつのアプローチ

一九七〇年に青年座が「象」を上演した際、作者の別役実（一九三七〜二〇二〇年）はパンフレットに言葉を寄せている。

その日原子爆弾がヒロシマに落された事実を、政治的な経済的なカラクリをもって説明する事など何でもない。それは被爆者の悲劇を、被爆当時の苦しみや、その後の病状や、生活の困窮や、社会的な差別の実情で説明するのと同様である。それら結果として表現された様々なものを究極に於て決定するものを無限の彼方に据え、それを究極に於て拒否するものを自らの内に確かめる行為こそ、先ずもってなされなければならない。そこにしか、ヒロシマに対する方法はないのである。(1)

やや文意が取りづらいが、別役の言わんとすることを言い換えてみると、次のようになるだろう。言葉や記録によって説明され、理解可能なものに変形させられた「被爆者の悲劇」をいくら知ったとしてもヒロシマと向き合ったことにはならない。それらをいったん相対化したり拒否したりして、ほんとうの意味で主体的にヒロシマと向き合う必要がある。それこそが「ヒロシマに対する方法」だと述べているのである。ここには、究極的な経験とそれを表す言葉や情報との乖離を見つめる表現者の姿がある。

別役の認識は、別役ひとりのものではないし、広島の原爆に限ったことではない。「表象不可能性」とも呼ばれるこの難問は、おそらくはあらゆる表現者が直面する問題だろうが、別役の場合はそれを「方法」という言葉で捉えようとしていた。「結果として表現された様々なものを究極に於て決定するものを無限の彼方に据え、それを究極に於て拒否するものを自らの内に確かめる行為」というのは、別役が自身の作劇の「方法」を述べていたのだと理解できる。

別役の劇の観客や戯曲の読者は、文脈を脱臼させる会話や、既存の何ものにも似ていないイメージの組み合わせなど、別役作品を固有のものにしている様ざまな特徴をよく知っているだろう。それらの表現は、しばしば「不条理」と呼ばれてきた。別役の戯曲は、何かの表象であることを拒否する言葉やイメージによって、既存の認識枠組みを揺るがす。それと同時に、そうした言葉やイメージを体現している登場人物たちは、どこにでもいそうな平凡な人間存在であることが多い。つまり、別役の戯曲に「不条理」という言葉が冠せられるのは、「普通」の人間たちがこともなげに意味の連なりを破り、イメージの連鎖を逸脱する姿を描くという別役の個性があるためだと理解できるだろう。別役は日常的空間と思われた舞台上の間隙から不条理空間を現出させてみせるが、その間隙から垣間見えるヒロシマの姿はいかなるものだったのだろうか。それを考えることが本章の課題のひとつである。

さて、理解可能なものに変形したヒロシマを相対化し、拒否しようとした別役の試みは屹立しているが、実際の数でいえば、ヒロシマを理解可能なものに落とし込むという課題に取り組んだ表現者の方が多いのではないだろうか。本書がすでに確認した中沢啓治の試みは、そのひとつである。本章では、別役の隣に、別役と同世代の大林宣彦（一九三八〜二〇二〇年）を置くことで、戦後日本における原爆をめぐる表現の振り幅を論じてみたい。

それにしても、なぜ大林宣彦なのか。その理由は、大林の映像表現が、別役とはまったく異なる方法で、「ヒロシマに対する方法」を提示していたと考えられるからだ。

晩年の大林は、反戦平和を正面から口にする映画人としての役割を進んで引き受けていた。『この空の花　長岡花火物語』（二〇一二年）に始まる戦争三部作と、遺作となった『海辺の映画館キネマの玉手箱』（二〇二〇年）は、反戦平和を訴える大林の社会的発言と映像表現とが、同居している作品だった。ここで、同居という言葉を選び、調和という言葉を選ばなかった理由は、本章が晩年の大林作品におけるイメージの奔流を重視するからだ。晩年の作品のなかでは、統御されることを拒むかのようなイメージの塗り重ねとカットの奔流に戦争の歴史が埋め込まれている。さらにそこには、異物のように、直接的な反戦平和の言葉やイメージも紛れ込んでいる。調和ではなく同居と呼んだゆえんである。

大林はまた、前述の作品群のなかで、現在と過去を同じ画面内に同居させるという演出を多用している。現代の映画作品は、通常であれば、デジタル技術によって合成された映像が自然に見えるよう修正を施す。しかし、大林はそれが合成された映像であることを隠そうとはしない。これはたんに予算や技術の問題ではないだろう。大林が指示しさえすれば、もっとうまく修正できたはずである。大林はあえてそれをせずに不自然な映像を選んだと理解すべきだ。

どこか時空間がゆがんだ空間、遠近法が失調した空間がスクリーン上に表れるのを目にした鑑賞者は、強い違和感を抱くことになる。本章ではその空間を「記憶空間」と呼ぶが、大林の遺作『海辺の映画館　キネマの玉手箱』（二〇二〇年）は、原爆をめぐる「記憶空間」の構築にチャレンジした作品だった。こうした大林の映像表現は、いったいどのようにして生まれたのか。

本章では、別役実と大林宣彦に注目し、彼らが描いた広島の原爆と空襲に対象を限定したうえで、両者のアプローチの違いを検討し、その振り幅から見えて来る戦後日本の原爆表現の特徴を考えてみたい。

ケロイドを見せたがる男

まずは別役実の「象」をとりあげるが、その前に別役の来歴を簡単に確認しておこう。[2]

別役は一九三七年四月六日に満州で生まれた。敗戦後は、ソ連軍占領下の新京で約一年を過ごしている。すでに一九四五年の三月に父親を肺結核で亡くしていたため、母親が頼りだった。一九四六年七月に佐世保に引き揚げ、いったん父親の本籍地である高知市に住むが、翌四七年に母親の本籍地・静岡県清水市に移る。四八年には母親の仕事の都合で今度は長野に移住。中学・高校と長野で過ごした別役は、高校を卒業した一九五七年に家族で東京に引っ越している。このように、幼少期から思春期にかけて各地を転々としているが、複数の移住経験というのは、住宅難・就職難・生活難の当時は決して珍しいものではなかった。その後、一年間の浪人を経て、一九五八年に早稲田大学第一政経学部政治科に入学すると、別役は先輩の勧誘を受けて劇団自由舞台に入った。自由舞台は学生サークルのなかでも高水準の演劇集団として知られたが、日本共産党系の左翼運動の拠点サークルとしても知られた。[3]ここから別役は演劇と政治運動との関わりを深めていく。同期には演出家の鈴木忠志、俳優の小野碩《ひろし》がいた。

芝居と同時に、学生運動にも加わっている。別役は六〇年安保闘争時には国会議事堂での抗議活動に参加。一九六〇年には授業料未払いで大学を除籍されたが、芝居と運動は続けた。翌六一年には東京都の新島に設置されるミサイル試験場の反対闘争に参加して、自身も新島に乗り込んだ。文芸評論家の月村敏行は新島での別役の印象を「決して派手にならない、ひっそりしたたたずまい。他人にではなく、常に自分にはにかんでいるような静やかな口調。それらにはどんなラディカルな行動も辞さない潔癖な決意がみなぎっていた」と回想している。[4]

生活の糧を得るため、松川事件対策協議会の支部でアルバイトをするなどしていたが、六一年一一月からは東京土建一般労働組合港支部に書記として勤務し始める。この組合は、建設土木労働者・職人・親方層のための組合で、全国建設労働組合総連合（全建総連）の下部組織だった。[5] 別役の仕事ぶりは几帳面で、面倒見がよく、組合員から親しまれる書記だったという。書記の仕事は一九六八年四月まで続けた。一九六七年の年末に戯曲「象」で岸田國士戯曲賞を受けたことが、別役に退職を決断させた。

別役が「象」を書きあげたのは、おそらくは書記の仕事を始めた一九六一年から翌年にかけてだろうと推測できる。「象」の初演は、一九六二年四月。鈴木忠志の演出で俳優座劇場にて上演された。戯曲としての初出は『劇場評論』一九六三年二月号である。その後、改稿されて『新劇』一九六五年八月号に掲載された。

「象」の中心人物は、入院中の被爆者の男だ（劇中では「病人」と指定されている）。「病人」はかつて街角で背中のケロイドを披露しては人びとから同情され、また喝采を浴びたという経験を持っている。しかし、時が経つにつれて世間の反応は冷たくなり、病状も悪化する。そんななか、「病人」は再び街に出て人びとにケロイドを見せようと執念を燃やしていた。他方、入院中の「病人」

を見舞いに来た甥（「男」と指定されている）は、「病人」を制止する。甥もまた被爆者だが、「静かに死んでしまいたい」と考えている彼にとってケロイドを見せたいという叔父の行動は許容できないのだ。

甥は「病人」に向かって言う。「もう、何もかもやめてください。何もかもです。大きな声も立てないで、大きく動くこともしないことです。感激したり、涙を流したり、笑ったり、そんなことも一切しないんです。／ただ黙ってるんです。／そうして、ここにじっと寝てるんです。それしかないんですよ。それしかないじゃないですか」。この言葉は、七字英輔が指摘するように、甥が自分自身に言い聞かせているように聞こえ、甥の「絶望と諦念」がにじみ出ている(6)。

そもそも、どうして「病人」はケロイドを見せることにこだわるのだろうか。劇団「自由舞台」で別役の先輩だった有馬弘純の回想によれば、ケロイドを見せる男の原点は、断食を見世物にする男を描いたカフカの「断食芸人」にあるという(7)。ただし、断食とケロイドとでは、社会的意味がおのずと異なる。別役は明言していないが、「病人」がケロイドを見せることに執着する理由を推測するのは難しいことではない。それは、ケロイドを見せることが、たんなる自己顕示を越えて、「病人」にとっては一種の抵抗を意味したからだろう。ここでいう抵抗とは、「自らの本質的な部分は被爆によって傷つけられていない」ということを自他に証明する行為を指す。それゆえに、ケロイドを見せることが「病人」の生き甲斐になるのである。ケロイドを人前にさらすことで、「病人」は「有名な被爆者」という仮面をも獲得した。

いくらケロイドを人目にさらしても、「病人」は傷つかない。また「病人」は、たとえば「原爆によって受けた心身の傷を人に見せ、原爆の罪悪を訴えた」というような紋切り型の理解を拒むことをしないだろう。そうした他者による意味づけは、「病人」にとって二次的なものに過ぎないからだ。ケロイドを人目にさらし、見る者の反響を得ているとき、「病人」は被爆者である自分を客体化し、自身の内部に被爆前の自分の領域を確保できる。他人の視線がケロイドに注がれているとき、そこで見られているのは「被爆者」を演じる人間に過ぎない。そのときのみ、「病人」は自らが「被爆者」であることを否認できるのである。

「病人」が街角で喝采を浴びる自分を想像して悦に入り、周囲の制止を振り切って街に出ようとする理由は、以上のように説明できる。病院で寝ていても、部屋に来るのは医者と親族ばかりで、自分のケロイドが珍しがられることもなければ、それを見るために患者が集まってくることもない。病院で寝ている限り、自分は「被爆者」なのだ。

社会化を拒む個性

被爆者であることを否認しようとする「病人」にとって、「原水爆禁止大会」は危機的な出来事だった。

病人　（暗く）あの原水爆禁止大会があってからいけなかった。俺は気が付いたんだよ。奴等が本当は何を見たがっているのかと云う事をね。

い、い、い、眼を見るんだ。

俺の眼を……。

背中のケロイドよりも俺の眼をのぞきこもうとするんだよ。俺がシャツを着始めると奴等はじっと穴のあくほど俺の眼を探ろうとするんだ、わかるかい。

俺がどんなコッケイな話をしても、ひょうきんな踊りを踊っても奴等は笑わないんだよ。(8)


被爆者を過剰に演じる「病人」にとって、眼をのぞきこまれることは恐怖を伴う体験である。社会はケロイドという表面や特定の被爆者類型ではなく、ケロイドを見せ特定の被爆者を「演じて」いる人間が、どういう人間かに興味を持っている。眼をのぞきこむ他者の視線は、自分の本質までをも「被爆者」として見ようとする外界からの作用として受け止められている。

ではなぜ「原水爆禁止大会があってからいけなかった」のか。別役の表現をまとめた内田洋一は、分裂した一九六二年の原水爆禁止運動と結びつけているが、本章では一九五五年に広島で開催された原水爆禁止世界大会に注目したい。

原水爆禁止世界大会へと至る被爆の社会問題化は、被爆者を特定の言説連関に今まで以上に強く結びつけた。その言説連関とは、被爆を語るという行為が、「被爆者はいまも苦しんでおり、それを繰り返してはならない。そのために、原水爆を禁止し、真の平和を実現しなければならない」というメッセージに収斂される言説の連関である。こうした言説連関によって原水爆反対の「正しさ」はますます強固なものとなり、ケロイドをあえて人目にさらすことは不謹慎になる。

原水爆禁止大会以前ならば、人びとはケロイドという仮面の見世物をある意味では楽しむことができた。しかし、大会によって前出のように原爆の語りの規範化が進んだため、もはや見物人たちは見世物のケロイドだけでは満足できず、むしろケロイドを見世物にする被爆者の内面や本性を知りたいと欲するのである。それは、衛生無害な「被爆の悲惨」「世界平和」を誰もが口にできるようになった時代の逆説であり、被爆した個人が「被爆者」というカテゴリーのなかで社会化されることでもあった。

別役は、社会化の拒絶とでも呼ぶべきこのモチーフを、しばしば戯曲に取り込んでいる。たとえば「あーぶくたった　にいたった」(七六年初演)の最後の場面で、死につつある男が次の台詞を口にする。「神様、私どものために、雪をお降らせ下さい……。神様……、私どもは生きてきました。……でも、誰にも、そう思ってもらいたくないのです……。[中略]神様、私どもはふしあわせでした。私どもは、我慢をしてきました。でも、誰にも、そういわせたくないのです」。誰にも解釈されたくないというモチーフにおいて、「象」のなかの「病人」と甥の「男」は、実は背中合わせの存在だったのだ。

モデルとしての吉川清

ところで、「象」の「病人」には、明らかにそうとわかるモデルがいる。「原爆一号（あるいは原爆第一号）」と呼ばれた吉川清である。

吉川清の名前は、原爆後の広島に関心を持つ人には、よく知られている。一九五一年八月には被爆者組織「原爆障害者更生会」の結成に関わり、一九五二年には峠三吉らと「原爆被害者の会」を設立するなど、被爆者運動史にその名を刻む人物である。

ここでは「象」を戦後の時空間に再配置するために、吉川について詳しく紹介しておきたい(9)。吉川は、一九一一年に福岡で生まれた。一九四五年当時は広島の鉄道会社で警備員として働いており、八月六日、爆心地から約一・五キロ東北にあった白島町の自宅で被爆した。一九四七年四月、広島赤十字病院に入院中の吉川のもとに、アメリカの新聞社・通信社・雑誌社が軍関係者とともに二〇人ほどで取材に訪れる。取材陣の目的のひとつが、吉川の身体に残るケロイドだった。記者たちは吉川を「原爆一号」と名付けた。その後、背中と腕のケロイドを見せている吉岡の写真が『ライフ』誌と『タイム』誌に掲載されると、吉川への注目が高まり、吉川はインタビュー依頼や訪問客に忙殺されたという。こうしたなかで、吉川は原爆体験記を記す機会を得た。

吉川の回想を文字に起こし、そこに医師の富田勝己による医学的コメントを付したものが、被爆体験記『平和のともしび――原爆第一號患者の手記』（京都印書館、一九四九年）である（なお、京都印書館は、現在の人文書院である）。たんに吉川の回想だけでなく、医師の所見を併せて出版したのは、占領下の検閲対策だったのだろうか。詳細はわからないが、ここで重要なのは吉川がすでに一九四九年の時点で、個人名で体験記を出版できるほどの人物だったという点である。

さて、一九五一年四月に退院した吉川は、市営住宅にも入れず、行き場をなくす。そこで、知人のすすめもあり、土産物店の開業を決意した。原爆ドームのすぐ近くの二坪ほどの土地にバラック小屋を建て、土産物屋を始めたのである。その場所で吉川は、写真、絵はがき、栞、焼けた瓦などを売り始めた。求められればケロイドを見せて原爆体験を語ることもあったという。なお、土産物店付近の空間は原爆ドームも含めて未整備で、子どもたちの遊び場にもなっており、そのなかには当時小学生だった中沢啓治もいた。『はだしのゲン』には、被爆者が原爆死者の骸骨を売る場面があるが、それは中沢が見た光景をヒントにしたとのことだ。[10]

土産物店を開いてから、吉川は次第に周囲の悪意に悩まされるようになった。誹謗中傷のビラをまかれたこともあったという。一九五二年、吉川は新聞記者に対して次のように語っている。

病院を飛び出したとき財布の中に三千円しかなかった。夫婦で友人の家を居候してまわり、ちっぽけなこの店も追い立てを食って、なんどあっちこっち動いたことか。援護費はビタ一文くれるでなし、それに夏、アイスキャンデー屋をはじめると、あそこのはバイキンが入ってるから買うなと子供に教えこむ母親がある。あの店の〝原子ガワラ〟は塩酸をかけてつくったニセモノだと言いふらす人もいる。わたしが自分のからだのケロイド（火傷の跡）を写真にして売ると、あの宣伝屋がまた同情の押し売りだという。暗い運命を身一つに背負って、苦しく生きるこのわたしを、世間の人はなぜにくむのだろう…[11]

地域コミュニティでの嫌がらせや「原爆を売り物にしている」というたぐいの陰口は、たんに嫉妬や羨望から来るものだったのかもしれない。しかし、一九五〇年代の広島に、吉川の「活躍」によって存在的不安を感じる者が皆無だったとは言い切れない。静かに死んでいきたいと願い、最終的には「病人」に手をかけることになる「象」の甥のような人間はそこかしこにいたのであり、自らの不安を嫌がらせとして発散していたのかもしれない。

原水爆禁止署名運動などが盛り上がれば盛り上がるほど、ひっそりと生きたいと願う被爆者は声を発しにくい。他方で、被爆者運動を牽引し、マスメディアにも頻繁に取り上げられた吉川は、当人の意思はどうあれ、代表的被爆者として注目された。そうした状況においては、吉川の「活躍」は一種の敵対性を喚起するものだったのだ。そして、その敵対性からは、たんなる感情的対立を越えて、戦後思想に対する内在的な批判の糸口を見出すことができる。では、戦後思想に対する批判の糸口とはどういうことか。

戦後思想批判――磯田光一と吉本隆明

一九六九年、別役の戯曲集『マッチ売りの少女・象』（三一書房）が刊行された。別役の戯曲が書店で手に入り、いつでも読めるようになったことは、日本の演劇青年たちに大きな影響を与えたと思われる。刊行を機に「象」を初めて読んだという磯田光一は、次のように述べている。

私がとくにこの作品を問題にするのは〝被爆者〟と〝彼を英雄視する社会〟との関係が、ちょうど〝作家の内面〟と〝それを利用するジャーナリズム〟との関係に等しいからである。戯曲「象」は、大義名分のためには平然と人間を利用した戦後思想にたいする最も本質的な批評であり、また同時に現代のジャーナリズムにたいする痛烈な告訴状でもある。この作品が昭和二桁世代の劇作家によって、すでに八年前に書かれていたことを思うとき、いったい私の同世代は何をしているのだ、という感慨がいやでもわきおこってくるのである。(12)

このあと磯田の文章は、同世代の作家である黒井千次・高橋和巳・古井由吉の批判へと向かう。磯田の評言は的確で、本章も磯田に影響を受けているが、ここで重要なのは、磯田が「象」のなかに「大義名分のためには平然と人間を利用した戦後思想にたいする最も本質的な批評」を読み込んでいる点だろう。

戦後思想の「大義名分」への批判。それは、すでに一九六五年に吉本隆明によって提起されていた問題でもあった。吉本は一九六五年に発表された「戦後思想の荒廃」という論考で、大江健三郎の『ヒロシマ・ノート』と開高健の『ベトナム戦記』を取り上げ、両者を「異常趣味」だと述べた。進歩派的な姿勢で広島の被爆者やベトナム人民への連帯意識を語っても、それは相手に届くことはない。なぜなら、被爆者もベトナム人民もそんなことは望んでいないのだから――というのが吉本の主張である。吉本は続ける。

わたしは、広島の被爆体験者が、その本心では、他のすべての無意味な、何の資料をも核戦争の挑発者（核戦争の反対をヒステリックにわめきたてる国際的、国内的勢力はこれを背中合わせにイコールである）に与えない、いわば価値なき国内の空襲被害者とおなじように、この社会に何ら特殊的にではなく、区別なしにまぎれこんで何気なく生きたいと希求しているだろうことを信じる。(13)

吉本は「わたしがひとりの孤立したふつうの被爆者だったらこの社会に誰とも区別されず、さわがれもせず生きそして死ぬという生涯を念願するだろう」とも述べている。ここで吉本は、「象」の甥の側に立って、戦後思想のヒューマニズムと平和主義の問題点を指摘しているのである。ここにおいて、「病人」と同等に重要な存在として、甥の姿が浮上する。

別役自身も、甥の側に立つコメントを残している。別役は、一九六六年の秋に初めて広島を訪問した。広島の印象を書き残した短文のなかで、別役は原爆ドームの保存に関する議論に触れ、ドームを見たくないという意見について次のように述べた。

「ドームを崩してしまって下さい」と言う事が、何処かでささやかれているとしたら、その言葉が今の今まで、本当の意味で「ヒロシマ」を耐え抜いてきた人の口からでないとは言い切れまい。それは充分考えられるのだ。そして、そのささやきをたぐって行く事によって、新しいドームの具体性、そこからのめり込んで、新しい原子野原に到達するかもしれないのだ(14)。

周囲の制止を振り切って街に出てケロイドを見せようとする「病人」と、それを思いとどまるよう説得しようとする甥。両者の対立関係を提示したうえで、最後には甥が「病人」を殺すという作劇は、平和の美名のなかに広島を押し込めようとする戦後日本社会への、痛烈な皮肉であるとともに、静かに生きたいという民衆的願望を暴力によって結晶化させてすくいとる試みだった。ひとまずはそう言えるだろう。

「マクシミリアン博士の微笑」

「象」から約五年後、別役は再びケロイドに注目して原爆と人間の関係を描いた戯曲を発表する。「マクシミリアン博士の微笑」（一九六七年初演）である。

「象」と同様、まずは梗概を確認しよう。博士と助手は、五三人の子どもたちの顔にあったケロイドを除去する手術に成功した。しかし、手術後、子どもたちの顔からは表情が失われてしまう。そこで助手と看護婦は、子どもたちを観察し、原爆体験の聞き取り調査を始めた。ところが、子どもたちから聞き出せるのは「ありふれた言葉や、ありふれた印象ばかり」だった。驚くべきことに、五三人の子どもが皆ほとんど同じことを口にするのである。博士と助手は子どもたちが表情を取り戻せるように、再度の手術を計画するに至る。他方で、看護婦は「今になって、そんなことをしなくちゃならないのなら、何故、あの時手術したのです？　何故放っておかなかったのです？」と反対し、博士がもう一度子どもたちにケロイドを移植しかねないと心配している。実は看護婦も被爆者であり、博士に顔のケロイドを除去してもらった経験があったのだった。劇の最後で、看護婦は手術前の自分の顔写真を探すが、写真はすでに博士が持ち去っており、看護婦は写真を手にすることができない。助手は看護婦に向かって、いまの顔があなたの顔だと諭す。そして「何もなかったんだよ」とケロイドのことを忘れるように促すのだった。

以上の要約からも明らかだろうが、「マクシミリアン博士の微笑」は、「象」とは異なり、原爆をなかったことにしたいという願いからケロイドの除去手術に踏み切った人びとの姿を通して、原爆と人間の関係を追求している。博士の意図は劇中では説明されないが、少なくとも助手は自らの信念に基づいて、五三人の子どもに対してケロイドの除去手術を行った。しかしながら、マクシミリアン博士と助手による「治療」は、子どもたちの表情を失わせ、個別の体験の記憶をも均質化してしまう。つまり、それは治療であると同時に、記憶の抑圧だった。

「象」における吉川清と同様に、「マクシミリアン博士の微笑」にもモデルの存在を指摘することができる。それは一九五〇年代前半に「原爆乙女」と呼ばれた女性たちである。

広島を訪問した作家の真杉静枝らが、顔にケロイドが残る被爆した女性たちと面会したことをきっかけに、彼女たちを東京で治療する計画が動き出した。一九五二年七月から女性たちは東京で治療を受け始める。東京では芸能人らの救援カンパ運動も行われ、彼女たちは「原爆乙女」という呼び名とともに広く知られた存在になっていく。[15] 彼女たちの上京には吉川清や谷本清牧師も同行していた。

「原爆乙女」の治療は、東京だけで完結しなかった。一九五五年には、『サタデー・レビュー』誌の主筆で原爆孤児への支援などですでに日本でも知られていたノーマン・カズンズと谷本牧師が主導して二五人が渡米、治療を受けることにもなった。当時の報道は「原爆乙女」たちの渡米を日米和解の物語として演出していた。吉川清が「原爆一号」として「有名人」になったのと同様、女性たちもまた「原爆乙女」として戦後ジャーナリズムの注目を集めたのである。

ケロイドの美しさとは何か？

別役は一九七〇年に「象」について次のように述べている。これはむしろ「マクシミリアン博士の微笑」の自注として読まれるべき言葉だろう。

原爆反対といわれて久しいが、どうも自覚的になりすぎている。カンパをして、集会に参加して……。それだけで原爆を憎んだことになるか、と考えたんです。例えば、ケロイドの背中を見てごらんなさい。ほとんどの人が顔をそむけるでしょう。それじゃあ本当ではない。逃げている。じっと見つめ、そこに美しさを感じなくてはいけない。原爆の悲劇はそうしてこそ背負ったことになる。(16)

注意しておかねばならないのは、別役は被爆者の意識を論じているのではなく、それを受け止める非・被爆者の意識を論じているという点だ。ケロイドの除去を「善」とみなし、治療後の看護婦の顔を「とてもきれいだ。何事もなかったみたいだ」と言う助手の態度は、別役に言わせれば「逃げている」ということになる。そうではなくて、ケロイドのある顔にこそ「美しさ」を見出すべきではないか、それこそが原爆の悲劇を直視するということなのではないかと別役は問題提起しているのである。別役は「美しさ」の意味については説明していないが、本章の関心にそって言い換えるならば、歴史的かつ個人的悲惨としての外傷を欠落や異常として捉えるのではなく、その外傷とともにいまを生きる姿に一種の調和を見出すということだろう。そこに調和を見出したとき、ケロイドは除去されるべき異常でも悲劇の象徴でもない「美しさ」を獲得する。

しかし、それがどれほど困難なことか、別役はよく理解していた。治療前の看護師の顔写真を持ち去ったマクシミリアン博士の微笑が後味の悪さを残す理由もそこにある。ケロイドに美しさを感じること——つまりは「原爆を自分のものにすること」の可能性と不可能性を別役は描こうとしていたのだ。

誤解のないように付け加えておけば、別役は、現実にケロイドを「治療」した人たちやそれを願った人たちを指して「逃げている」と指摘しているのではない。それは、別役が原爆ドームを壊してしまいたいと願った人びとの意見に共感を寄せていたことからもわかる。そうではなく、吉川清や「原爆乙女」を、予定調和の物語としてしか観ることができない観客としての戦後社会が、「逃げている」のではないかと問いかけているのだ。

別役実の「不条理空間」

二〇二〇年代に入った現在、「象」や「マクシミリアン博士の微笑」をこれから読もうとする者は、作品に一種の重苦しさを感じるかもしれない。本章はそうした重苦しさに注目してきたが、それだけでは別役実と原爆との関係の一側面を確認したことにしかならないだろう。もうひとつの重要な側面――「笑い」について、最後に注意を喚起しておきたい。

別役の戯曲は「笑える」。それはたとえば、次のような場面である。

「象」では、「病人」が会話の途中でしばしば「おい、誰かが何か云わなかったかい……？」とか、「そこに誰かいるのかい」と発言して会話の流れを断ち切る。あるいは、「病人」とその妻がおにぎりの食べ方をめぐって冗長な議論を始めたりする。「マクシミリアン博士の微笑」では、看護師が突然、博士からセクハラまがいの行為を受けたと告白し始める場面がある。

これらは、前後の文脈が強引に切断されることから生じる滑稽さである。突然何を言い出すのかという戸惑いが笑いを生む。通常の喜劇性とは微妙に異なるこの種の「笑い」は、舞台上では観客の注意を演者の身体の存在感へと向ける機能を持つだろうし、戯曲を読む場合には、読者が通常の流れだと想定する会話を断ち切り、言葉の生々しさを呼び起こすという異化機能を持つ。

些事に異常なまでにこだわる人間の奇妙さ。不可解なことを真面目に口にして周囲を凍らせる突拍子のなさや居心地の悪さ。日常性が裂けたときに、そこから生じる笑いと脱力は、別役の戯曲を読む最大の楽しみである。なぜなら、意味が剥ぎ取られた笑いの瞬間に、人は自由の感覚を得ることができるからだ。

もっとも、この特徴に対しては、別の評価も可能である。別役の戯曲については、つねに「不条理」という言葉が付いて回った。それは一面では正しく、一面では間違いである。すでに「笑い」

を例にとって部分的に確認したように、不条理という言葉は当たっている。他方で、一面では間違いだという理由は、演出家の鈴木忠志が別役の追悼文で述べたように「人間存在の在り方を不条理と感受する感覚は、自分自身の存在自体に違和を感じることによって引き起こされるが、二〇世紀を生きた表現者たちにとって、この感覚は普遍的なものである。ベケットや別役にだけの特別な感覚ではない」からである。(17)

「不条理空間」では、戦後思想批判や被爆の惨禍や平和主義などの、原爆に関わるあらゆる既存の議論が、一瞬だけ相対化される。その亀裂のなかでのみ、ほんとうに自由な感覚で原爆と向き合い、その美しさを体感できるかもしれない――。「笑い」が一瞬だけ有する強い否定性もまた、別役が掴んだ「ヒロシマに対する方法」だった。

この方法を応用させて、たとえば別役は「玉音放送」をも相対化する。「正午の伝説」(七五年初演)では、ふたりの傷病兵が描かれるが、そのうちのひとりは玉音放送を聴いた日から現在にいたるまで「毎日毎日、毎時間毎時間、いつも新しく許されて許されて、許され続けなくちゃいけなかったんだ」と言う。傷病兵が抱く「許され続け」てきたという感覚は、自分が「一所懸命」に生きてこなかったという後悔と自責の念へとつながる。そこで彼は「一所懸命」になろうとするが、そのためにとった行動は「一所懸命」に排便を我慢することだった……。なお、この設定は「海ゆかば　水漬く屍」(七八年初演)でも繰り返されている。(18)

さて、原爆に関わる「不条理空間」という点で、別役の歌詞にも注目しておかねばならない。別役には、小室等と六文銭のために作詞した「ゲンシバクダンの歌」という作品がある。別役と六文銭の関係は、一九七〇年に上演された音楽劇「スパイものがたり」が端緒だった。劇中歌の「雨が空から降れば」は、小室等と六文銭の代表曲になり、他のアーティストたちにも歌い継がれていく。

「ゲンシバクダンの歌」と題して別役が書いたのは、原子爆弾をポケットに入れて、新宿を歩いたら紀伊國屋あたりで爆発し「ワイワイ　原子爆弾は怖いな」という歌詞だった。二番は舞台を池袋の西武デパートに変えただけで、同じ構成を持つ。この曲については、一九七〇年の全日本フォークジャンボリーで演奏された映像が残っているが、それを観ると、小室等と六文銭もこの曲を扱いかねているような印象を持つ。

原爆は、広島・長崎で証明された非人間的な破壊力と後遺症に特徴を持ち、その意味では「怖い」のだが、他方で人はそれを怖がり続けることはできない。それゆえに「怖い」というそれ自体は間違いのない言葉が、空疎に聞こえてしまうときがある。「ワイワイ　原子爆弾は怖いな」という言葉は、その空疎さに照明を当てた表現だったと理解できる。そして、六文銭のパフォーマンスは、規範的な語りへの居心地の悪さだけでなく、それを相対化することもまた居心地が悪いという原爆の語りが持ち続けるジレンマを、ジレンマとしてそのまま提出する実践だったと理解すべきなのだろう。

これまで別役実の原爆との向き合い方を論じてきたが、同世代の大林宣彦のそれは、別役とは対照的にみえる。一九三八年生まれの大林は、晩年になって日本の行く末を憂い、頻繁に反戦平和を口にしたからだ。

大林宣彦の「反戦平和」

大林は、尾道の医者の家庭に生まれ、自宅にあった簡易な映写機とフィルムで自作のアニメーションを作って遊んでいたという。この幼少期の体験は、大林の映像制作を語る際に必ずと言ってよいほど言及される要素である。映画と遊ぶ、映画で遊ぶという原体験が、晩年までの大林作品で繰り返されている。

大林はしばしば、自分は戦後を意識的な「ノンポリ」として過ごしてきたと回顧している。そこには韜晦もあるだろうが、確かに作品内で明示的に戦争を語ることはなかった。戦死した婚約者を待ち続ける幽霊が登場する『HOUSE　ハウス』（一九七七年）以来、「戦争で失われた青春をスクリーンで蘇らせること」が大林映画に一貫している――映画評論家の町山智浩はそう指摘する。[19]確かに日中戦争の記憶を極めてさりげなく示唆した『北京的西瓜』（一九八九年）のような例はあるものの、戦争はあくまで設定の一部に取り入れられたり、明確な反戦平和のメッセージとは切り離されて引用されたりする程度だったというのが正確だろう。むしろ、高畑勲が指摘するように、大林映画に一貫しているのは「死者」だろう。[20]なお、大林の主要作品の解題を担当した伊藤弘了は、

「異質な他者との交流」という観点で大林作品を捉えている[21]。この視点は、第1章で水木しげるを扱った本書にとっても有益だが、以下では反戦平和に限定して議論を進めることにする。

さて、大林が戦争を意識して発言するようになったのは、一九九〇年代以降であるように思われる。一九九六年に刊行された『4／9秒の言葉』（創拓社）のなかで、大林は戦後五〇年にあたる一九九五年を「第三次世界大戦・敗戦の年」と呼んでいる。つまり、第二次大戦後一貫して続けてきた経済戦争の「敗戦」が明らかになったのが一九九五年であり、いまの子どもたちは現代の「戦災孤児」だと言うのである。[22] また晩年の大林がしばしば口にした、「正義」よりも「正気」が大切だという言葉も、『4／9秒の言葉』のなかで語られていた。

こうした例はあるにせよ、大林が明確に「平和」という言葉を多用するようになったのは、二〇〇〇年代以降だった。二〇〇三年四月から、成安造形大学と倉敷芸術科学大学の客員教授に就任し、学生たちの前で定期的に話すようになったのが、直接的な要因だったのではないか。次世代にわかりやすくメッセージを伝える際に、大林は「平和」という言葉を自身の語りに導入し始めたようにみえる。

たとえば、二〇〇三年には、「映画は平和のためにあるべきで、社会のために映画に何ができるかを考えている」という言葉を口にしている。[23] また、二〇一〇年には、「子供たちが平和にたどり着くために、戦争の痛み、悲しみを知る私たちがきちんと伝えながら、子供たちに未来は明るくなるよ、するよと思ってもらいたい」という言葉も残している。[24]

このように、次世代へ語りかける機会が増えたというのが、「平和」への言及の直接的な要因だとして、間接的な要因としては、二〇〇〇年代以降の安全保障論や改憲論を挙げることができる。

年表的に素描しておくと、二〇〇一年四月に総理大臣になった小泉純一郎は、「集団的自衛権の権利はあるが行使できないというのが今の解釈だ。これを変えるのは非常に難しい。憲法を改正した方が望ましいという考えを持っている」と述べた。[25] 二〇〇一年九月一一日の同時多発テロと日本のアメリカへの協力(テロ対策特別措置法)があり、二〇〇三年からのイラク戦争と有事法制関連三法の成立があった。この頃から、自民党内の改憲論が盛り上がり、それに対抗するかのように二〇〇四年六月には護憲派知識人たちによる「九条の会」が結成された。大林も高畑勲らとともに「映画人九条の会」の一員として活動を開始している。以上で確認したように、大林が社会的発言の際に自ら進んで「反戦平和」を口にし始めたのは二〇〇〇年代初頭だった。

もっとも、それは社会的発言のみに限らなかった。親交があった角川春樹との関係にわずかな亀裂が走ったのもこの頃である。きっかけは角川春樹が製作を担当した映画『男たちの大和/YAMATO』(二〇〇五年)の製作過程で使用した原寸大の戦艦大和のセットだった。そのセットを、尾道市が二〇〇五年に観光客誘致のために一般公開するという計画が起こり、実施された。それを知った大林は、角川に対して戦艦大和を故郷で公開することへの拒絶反応を綴った手紙を出したという。[26] プライベートでも、戦争に関わる問題に敏感になっていたと言えるだろう。

その後、二〇一一年三月の東日本大震災。二〇一三年一〇月に成立したいわゆる「特定秘密保護法」。そして、二〇一四年七月の集団的自衛権行使容認の閣議決定。こうした状況を踏まえて、大林は積極的に社会的発言を続けた。二〇一三年一二月に、朝日新聞の取材で次のように述べている。やや長くなるが引用しよう。

秘密法は点で見ると「戦争にはつながらない。オーバーだ」との意見もあります。でも、集団的自衛権の行使容認や憲法改正と論理的にも感情的にも線でつながり、実態は戦争ができる国づくりです。今の政治家の世代は、戦争の痛みも怖さも知りません。敗戦で学んだ経験と知恵を失い、半世紀以上守ってきた奇跡的な平和を手放すことは決してなりません。平和を築くのは時間がかかりますが、戦争はすぐに始まります。

遺骨になって帰ってきた近所の親しかったお兄さんらが残してくれた平和。それを命懸けで守りたいとの思いで、長年「ふるさと映画」の製作に携わってきました。今の20代以下は自らの力で本当の平和を作れる初めての世代だと信じています。その彼らが銃を持って殺し合いに行くような国にしてはならない。それが僕ら「敗戦少年世代」の最後の使命だと思っています。(27)

これらの社会的発言は、本章で確認するように、大林の映画そのものにも投影されることになる。大林にとって、映画というメディアは自身の関心をその都度自由に放り込める巨大な器だったが、その器に「反戦平和」を入れるというよりも、器自体が「反戦平和」になったとも言える。最晩年の大林は、映画を「平和を作るメディア」と位置付けるに至った。『女性自身』のインタビューに対して、大林は「本当に世界から戦争がなくなったら、映画もいらないんです」と述べた。「戦争がなくなったら、平和を作れる映画というメディアもいらなくなる」と。[28]

これまで確認してきた大林の発言は、戦後日本の反戦平和論の一類型を出るものではないかもしれない。戦争を記憶している世代がこれまでにも繰り返し述べてきた言葉である。こうした言葉の背景にある戦中と戦後の体験・記憶・心情こそが注目されるべきだが、ジャーナリズムは類型的な反戦平和の語りを再生産する傾向にあるし、経験者世代の多くも、その類型を拒もうとはしていないようにみえる。

では、大林にとって「映画が反戦を作るメディア」であるからといって、平易な社会的発言と同じく、彼の映画は平易になったのだろうか。事態は真逆である。『この空の花　長岡花火物語』（二〇一二年）以降はデジタル合成を多用することで（少年のようにデジタル技術と遊ぶことで）、異様で奇妙な画面構成が出来上がり、膨大な情報が詰め込まれるようになった。もちろん、反戦平和のメッセージが基調にあることは間違いがない。しかし、出来上がった映画を観ると、大林は新たな課題に挑戦していたのだということがわかる。その課題とは、戦後日本の平和主義がほとんど潰えつつあるなか、言い尽くされた反戦平和という器にどのような表現を盛ることができるのか、というものだ。大林はその課題に取り組み、類例のない作品を遺した。では、大林が達成した表現とはどのようなものだったのか。晩年の大林の表現を確認しよう。

「記憶空間」と「シネマゲルニカ」

映画で戦争を語るための方法を模索していた大林は、「CGを使って戦争をリアルに再現するのだけは嫌」「そもそも映画に劇映画とドキュメンタリーしかないというのもおかしな話」だという思いを持っていた。[29] そこで、複数の時間、複数の声、複数の記憶をほとんど同時並行させるという離れ業に行き着くことになる。

それは、戊辰戦争から長岡空襲、中越地震と東日本大震災までを二時間四〇分に凝縮した『この空の花　長岡花火物語』(二〇一二年)に顕著である。北海道芦別市を舞台に戦争とその記憶を描いた『野のなななのか』(二〇一四年)と、戦争へと向かう時代と若者たちを美しく描いた『花筐／HANAGATAMI』(二〇一七年)でも、挑戦的な歴史叙述は際立っているが、本章では主に『この空の花』に焦点を絞ることにする。

『この空の花』は、戦争に関わる記憶空間の映像化という課題に挑んだ映画である。ここで言う記憶空間とは、主体の内部世界や意識内に描かれた一人称視点の風景ではなく、主体自身とその内部世界とが同時に配置されるという空間を指している。では、記憶空間の映像化とは何か。

映画の冒頭、松雪泰子演じる「遠藤玲子」が現代の長岡をタクシーで移動する場面がある。突然、車外が一九四五年の夏になり、玲子は一九四五年の人間に会釈する。現代と一九四五年がガラス越しに接するこの場面の特徴は、デジタル合成であることを隠そうとしない画面の質感にある。通常の演出であれば「合成感」を減らそうとするところを、大林はあえて残している。それによって、遠藤玲子の主観世界を、現実にはあり得ない「記憶空間」として提示する演出だと理解できる。

もうひとつ、別の場面も確認したい。髙嶋政宏演じる「片山健一」が、玲子に手紙を書きながらカメラに語りかけるという場面がある。屋外の景色と屋内の調度品との遠近法がずれており、あたかも現実には存在しないような時空のゆがんだ空間で手紙を書いているように見える。ここで観客は、手紙を書きながら記憶と対話する片山を中心とする「記憶空間」を観ているのだと気づかされる。

空間が圧縮され、時系列が入り乱れる破格の構成を可能にしたのは、デジタル技術だった。大林は中川右介との対談のなかで、フィルムは「物語装置」、デジタルは「情報装置」だと述べているが、物語性を放棄してでも情報を塗り重ねるデジタルの迫力を選んだようにみえる。(30) いずれにせよ、比較的容易になった編集と合成技術によって、映画の語りは単線的な構成から解き放たれた。とりわけ、合成であることを明示する（それゆえハリウッド映画や韓国映画の高度なCGを見慣れた目には違和感が生じる）演出は、異なる時空が共存していることを示すのに効果的だった。

こうした野心的場面演出のなかに、歴史的事実に関する解説と字幕が重なる。解説は、NHKの教養番組と錯覚してしまいそうになるほど丁寧で、通常の劇映画の調和的演出には収まらない違和感を観客に残す。記憶空間を演出するという方法は、『野のなななのか』（二〇一四年）と『花筐／HANAGATAMI』（二〇一七年）でも全面的に展開されていた。

『花筐』では、佐賀県唐津市を舞台にして日米開戦前夜の学生たちの青春が描かれる。大林は、鮮やかな色彩の配置と遠近法を失調させた空間構成によって、一九四〇年代初頭の不穏な空気を現出させている。しかし、それは一九四〇年代初頭には見えない。また窪塚俊介や長塚圭史たちは一七歳の若者を演じているが、とても学生には見えない。

「一九四〇年代初頭には見えない」「学生には見えない」と書いたが、私たちは写真や記録映像でしかその時代を「見る」ことはできない。にもかかわらず、観客は自然な合成や配役であれば劇映画が過去を再現したものと納得できるし、過去の登場人物への感情移入も促進される。大林はそのようなオーソドックスな再現を拒んでいる。再現を目指すのではなく、当事者の記憶語り的なドキュメンタリーを目指すのでもない。大林が目指したいびつな記憶空間の構築は、極めて人工的な映画表現のみに可能な、歴史叙述の領野を広げるための方法だった。

近年の映画による「新しい」歴史叙述は、もっぱら右派の専有物になった感がある。映画『永遠の0』(二〇一三年)の最後の場面では、現代の東京と一九四五年が見事なデジタル合成によってシームレスに連結されており、その高い技術が評価された。『永遠の0』の傍らに、歴史叙述の構築性を見つめながら新たな映像と言葉を紡ごうとした大林の戦争三部作を置けば、二〇一〇年代における映画を通した戦争の語りの振れ幅が浮かび上がるだろう。

大林は、歴史叙述の構築性と映画との相性の良さをよく理解していた。『この空の花　長岡花火物語』をつくった頃から、大林は「シネマゲルニカ」という言葉を使い始めているが、そこには

「再現」への批判があり、その不可能性を見据えた透徹した視線があったと思われる。

大林は、ピカソの「ゲルニカ」を参照しながら、「もしそれを写真のようなリアルな絵で再現されていたならどうだったでしょうか?」と問いかける。ピカソが描く絵は横顔に目がふたつあるようなもので、大人のリアリズムからすると「あり得ない」。だが、もし幼稚園児や赤ん坊が絵を描けたならば、「いつも自分をみつめてくれているお母さんの両方の目を心でかんじているので、横顔に二つの目を描くことだってあるのではないかと思います。後ろ姿であっても、二つの目を描くかもしれない」(31)。自身がこれまでつくってきた映画もゲルニカのようなものだと続ける大林は、やはり通常のリアリズムからの離陸を自覚していたのである。

歴史と記憶の館

大林が展開してきた「記憶空間」の演出。それが全面的に展開されたのが、『海辺の映画館 キネマの玉手箱』(二〇二〇年)である。ここからは『海辺の映画館』に焦点を絞って、大林のねらいを解読し、歴史を扱った映画表現の系譜のなかにこの作品を位置付けたい(32)。まずは、この作品の梗概を確認する。

映画は宇宙船内部から始まり、観客を驚かせるのだが、物語内の物理的空間は、尾道の海辺にある架空の映画館「瀬戸内キネマ」の内部で基本的に完結している。「瀬戸内キネマ」では、閉館記念イベントとして、最終日のオールナイト興行「日本の戦争映画大特集」が開催されていた。上映が始まるや否や、映画館の手伝いにきていた「希子」という少女が映画のなかに入り込んでしまう。続いて、三人の若者たちも彼女を追いかけるようにスクリーンのなかに入り込む。映画の世界に入った彼らは、戊辰戦争、日中戦争、沖縄戦、原爆投下前夜の広島などを追体験しながら、「希子」を追いかけ続ける。そして、映画の世界では、宮本武蔵や坂本龍馬、新撰組、そして幼少期の大林宣彦を思わせる少年たちが次々に登場する。情報量が多く、観客は物語についていくのに労力を割かざるを得ない。人によっては、三時間弱の上映時間が長く感じられるだろう。

この映画で注目すべきは、吉田玲が演じる「希子」である。三人の若者が助け出そうとしていた「希子」は、すでに一九四五年八月六日に広島原爆で死んでいたということが明らかになる。彼女は「映画」のなかだけに生きているのであり、大林作品にしばしば登場する幽霊的な存在だったのだ。

『この空の花』以来、あれほどデジタル合成技術を多用してきた大林だが、戦争被害の場面を直接的に描こうとはしなかった。『この空の花』においては、長岡空襲は劇中の演劇を通して「再演」されていたが、『海辺の映画館』ではどうだろうか。この作品では、原爆投下が表現されるが、その場面はやはり直接的には描かれていない。原爆投下の表現は、次のように進められる。まず、少女が映し出されたフィルムが燃え、白石加代子と中江有里が観客に向かって原爆投下を説明する。そこに、常磐貴子が原爆ドームと人影のある石段を訪問する映像が重ねられるのである。

大林が「CGを使って戦争をリアルに再現するのだけは嫌」と述べていたことはすでに確認したが、「再現」拒否という態度にはどのような思想的意味があるのだろうか。手がかりになるのは、映画『鏡の女たち』(二〇〇三年)で広島原爆を描いた吉田喜重である。吉田は、原爆投下の瞬間を「再現」することの不可能性について、次のように述べた。

これまでの原爆映画は、当時の写真やニュースフィルムを挿入したり、その光景を虚構として再現することによって描こうとしました。現在ではデジタル技術を使って原爆投下の瞬間、巨大なきのこ雲の鮮明な映像を作り出すことは容易です。焦土と化したなかに人びとのさ迷う姿を合成することも可能です。しかし、こうした原爆の再現にどのような意味があるのか——あの瞬間の閃光を見た人たちは死者であることを思えば、生き残った人間がそれをみることができるはずはありません。それを虚構として再現できるはずはないのです。[33]

原爆の表象不可能性に踏みとどまることが、追悼のひとつの方法ではないかと吉田は述べたかったのかもしれない。『鏡の女たち』では、広島平和記念資料館の展示パネル(被爆者のモノクロ写真)が運搬されている場面があるだけだった。吉田と大林とでは、映画作家としての姿勢は随分と異なるが、両者は結果としてよく似た方法を選択に至ったのである。

『海辺の映画館』の冒頭で、希子は観客に向かって「教えてね。教えてください。私は何も知らないから、たとえば戦争。戦争ってなあに。私は知りません」と語りかける。では、希子に何を「教える」ことができるのか。原爆で死んだ少女に、どのような歴史を語れば、彼女は自分の死を納得するだろうか。どのような説明をもってしても、CGを使ったもっともリアルな「再現」をもってしても、彼女の死を合理化することはできない。そうである以上、原爆投下直後の惨状を「再現」して観客の情緒を操作しても、それは希子の問いかけにほんとうに答えたことにはならない。原爆投下や空襲の一回性を踏まえつつ、それを歴史や記憶として語るほかない。しかも文字ではなく、映画によって——大林はそのように考えていたのではないだろうか。

岡本喜八との接点

吉田喜重のほかにもう一人、参照したい映画監督がいる。岡本喜八である。晩年の大林は、しばしば岡本喜八に言及している。

そもそも、大林と岡本には、浅からぬ因縁があった。CMディレクターだった大林に商業映画を撮らせるという企画が東宝内で持ち上がったとき、東宝の内部が門を開くのを後押ししたのが岡本喜八だった。大林が小谷承靖から聞いた話によれば、岡本喜八は「もし、この大林さんというひとの作る映画が、本当に日本中の観客が求めているものだとしたら、私たちは自ら門を開いて、大林さんを迎え入れようじゃないか。そして学ぶものは学んで、私たちの誇りとする「日本映画」を、私たちの手でもう一度、甦らせようじゃないか」と東宝の監督たちを説得したという。[34]

『この空の花　長岡花火物語』では、長岡市の山古志村の旅館でシナリオを書いていた際に、「戊辰戦争からやり直さないと、日本の戦争は語れない」という岡本喜八の言葉がよみがえってきたという。[35]

また、大林は戦争を西部劇のようなアクション活劇に仕立てた『独立愚連隊』に触れて、「喜八さんの中には映画人として二人の人格がいたのだともいえます。一人は『駅馬車』に純粋に憧れている岡本喜八。もう一人は自分のアイデンティティをしっかり映画でつたえようとしている岡本喜八です」とも述べている。[36] 戦後を意識的にノンポリとして過ごしてきたが、内心ではいつも戦争の傷痕を感じていたという大林自身の分裂を、岡本喜八に託しているように読める。

技術やテーマという観点からも、両者の類似を見出すことができる。技術という側面では、次の三点を指摘できる。第一に、編集や合成を駆使して「映画で遊ぶ」ということ。第二に、カットを増やすことで生じる独特なリズム。第三に幽霊である。

岡本喜八は『江分利満氏の優雅な生活』で、劇映画にアニメーションを導入して観客を驚かせたが、これは大林の『海辺の映画館』でアニメーションが出てくるのと対応する。映画で遊ぶという姿勢を、両者は終生手放さなかった。

二点目の独特のリズムについては、岡本がまだ新人監督だった一九五九年に「ドラマと絵が、観客の感覚を通じて、心の中につくり出す流れ」を意識し、従来の日本映画とは異なる「流れ」を模索していたということを指摘しておく。[37] カット数の多さが岡本喜八の映画の特徴となったが、大林に目を転じれば、大林もまたデジタル編集を始めた『この空の花　長岡花火物語』以後、めまぐるしいまでの切り返しで「流れ」をつくり出している。

さらに、死者との関係を幽霊という形象で表現するという姿勢でも、岡本と大林には共通点がある。岡本喜八の『大学の山賊たち』には、山荘のオーナーが幽霊として登場する。それも怪談的な幽霊ではなく、生前の姿のままでフィルムにはっきりと映し出されるコミカルな幽霊だった。岡本は、生前最後の映画として山田風太郎の小説『幻灯辻馬車』の映画化を企画していたが、これも幽霊の物語である。これに対して大林は、一九八九年の淀川長治との対談のなかで次のように述べている。「映画というのは目を閉じる世界ですから、映画のなかぐらい幽霊であってもなくてもごく親しい人がそこにいるということがあってもいいんじゃないか、と思うんです」と。[38] 晩年の大林が岡本喜八を気にしていたのは、映画監督としての資質にある程度共通するものを感じていたからだろう。

『海辺の映画館』には「映画を笑わせたい」という、映画と遊んできた大林らしい言葉がある。大林にとって日本の近代史は映画の歴史とパラレルであり、それは喜びの歴史であると同時に血塗られた歴史だった。「映画を笑わせたい」という願いが達成されたのかどうか、それはわからないが、彼にしかできない方法で反戦平和の映画を作り、誰も観たことがない反戦平和のイメージを造形したということだけは疑えない。

大林がつくり出した秀逸な反戦平和のイメージの例を、最後にひとつ提示しておこう。それは『この空の花』における一輪車である。一輪車とは、そもそもその存在自体に不自然なところがあるが、つねに動くことによってバランスをとる姿には二輪や四輪とは異なる「動きのなかの安定」があり、乗りこなす人間の伸びた背筋と遠くを見る視線には緊張がある。この一輪車に、大林宣彦が幻視した「反戦平和」のイメージが託されているように思えてならない。

ふたつの空間と「居心地の悪さ」

これまで本章では、別役実と大林宣彦が、戦争という歴史的出来事によって体験者に残された記憶や傷痕をどのように表現したのかを確認してきた。別役の戯曲が提示する不条理空間は、言うまでもないことかもしれないが、演劇とは俳優の身体と観客が同じ空間にあることを想定して書かれる。舞台上の俳優たちの所作や言葉は観客席と地続きである。それゆえ、観客の「現実」を揺さぶりやすい表現だと言えるだろう。巷間言われるところの別役の戯曲の台詞やト書きや設定にみられる不条理性は、舞台表現という特性を十全に活かすための方法でもあった。別役の不条理空間のなかの被爆者たちは、読者や観客と戸惑わせたり笑わせたりしながら、日本社会の定型となった原爆認識を当時もいまも相対化し続ける。それが彼の「ヒロシマに対する方法」だった。

他方で、大林の映画が提示する「記憶空間」は、別種の戸惑いと笑いを生んでいる。通常のリアリズムから離れ、均整を放棄したかのようないびつな空間。その空間には、生者と同様に話す死者がおり、年齢的には無理のある役を与えられた俳優たちがいる。そこから生じる戸惑いや違和感は、戦争体験と記憶とを、それを受け止める新たな世代との差をも含み込みつつ、綜合的に再提示するための方法だったと捉えるべきなのだろう。大林にとって、それを可能とするメディアは映画以外にあり得なかった。

大林宣彦の映画からは、たとえば次章で扱う高畑勲のアニメーションから得られるような納得感を得ることはできない（高畑の演出の合理性とそれを自ら説明してしまえる論理性については次章に譲るが）。あえて図式的に言えば、高畑のアニメーションが「主体的に行動せよと要求する」という啓蒙のアポリアを抱えているのに対して、大林の映画は決して「要求」しない。ただ、情報のマンダラのなかに観客を投げ込むのである。その「居心地の悪さ」は、映画体験を通して、自ら主体的観客になるための土壌を開拓するために必要な相対化作業だった。映画でそれを実現できているという自負が大林にはあったのだろう。だからこそ、ある意味では平板な反戦平和のメッセージを繰り返すことにも躊躇はなかった。それもまた、表現者が戦争に対する方法のひとつなのである。

第5章　残された者と共同体——高畑勲の「啓蒙的理性」

『太陽の王子　ホルスの大冒険』と共同体の理想

本書がこれまで注目してきたのは、「幽霊」や「反復」などの記憶に関わる主題であり、「不条理」や「ゆがみ」といった主観の逸脱に関わる主題だった。これらに対して、本章では、残された者と共同体の関係を追求しようとした高畑勲の営為に焦点を絞る。ここで言う共同体とは、空間性・地域性と共同性を備えた人間の集合体と集合意識を指す。共同体の構成員は、なんらかのモノや価値を共有しているという感覚・感情を持ち、その様態は、国家から地域・家族にいたるまで多様だが、本章では残された者が抱く、死者や過去への何らかの思いに注目する。これまでにも繰り返し指摘されてきたことだが、共同体を成立させるための共通感覚のなかでも、死者が果たす役割はとりわけ大きい。ベネディクト・アンダーソンの「無名戦士の墓」の議論が提起したように近代の国民主義と自国の戦死者は固い結合関係を持っている。フィクションのなかの死者は、それがどれだけ具体的に描かれていようとも、それは文字通り、想像され、象徴化された死者である。フィクションのなかの死者は、受容者たちのあいだに一種の共同体感覚を惹起させる。「ファン」と呼ばれる観客集団の共同体意識は当然のこととして、物語内容や受容動向によっては、国民としての共同体意識に作用すると想定できる作品もある。本章では、スタジオジブリの高畑勲作品を、試論的にそうした作品のひとつとして捉える。高畑勲は、他の同時代の知識人や表現者たちと同様、国民主義の問題系に自覚的な演出家だった。彼が死者や失われた過去と「残された者」の理想的な関係をどのように模索し、いかに描いたのかを考察することは、「残された者」としての現代の私たちが、何を忘却・喪失したのかを照射する作業にもなるだろう。そのための前段階として、本章ではまず高畑勲の来歴を整理しておきたい。

高畑は一九三五年、七人きょうだいの末っ子として、三重県に生まれた。幼少期に父親の転勤で岡山市に移っている。父親の浅次郎は教師で、戦後には岡山県教育長を務めた。浅次郎には次のような逸話がある。一九四五年六月二九日未明の岡山空襲の際に、当時校長だった浅次郎は、家族をおいて学校に急ぎ、「ご真影」を防空壕に安置したというのだ。当時九歳だった高畑はというと、家族とはぐれ、焼夷弾の雨のなかを姉と二人で逃げまわっていた。戦後、天皇の「全国巡幸」の際には、校長室が天皇の休憩所となったが、特別な椅子を用意したり模様替えをしたりする必要はないと主張して、教頭を困らせたという。普段のありのままの姿を見せないと意味がないという考えからの主張だった。そういう父親のことが好きだったと高畑は回想している(1)。

高畑は東京大学を経て、一九五九年に東映動画に入社する。当時、映画産業は最盛期であり、テレビの普及も進んでいた。東映動画はテレビCMの需要も見越して製作体制を強化しようとしていた。その結果、高畑と同じ一九五九年に入社した社員は五〇名を超えたという。(2)

東映動画では、演出助手として映画『安寿と厨子王丸』（一九六一年）、『わんぱく王子の大蛇退治』（一九六三年）に関わり、テレビアニメ『狼少年ケン』（一九六三～六五年）で演出家として独り立ちする。すでにこの頃から、高畑の演出家としての個性は発揮されていた。叶精二が述べるように、『狼少年ケン』の第七二話「誇りたかきゴリラ」（一九六五年四月五日放映）では、敵役のゴリラの視点から、ケンたち狼族の姿を批評的に描くという構想が展開されていた。(3)

演出家として高畑が挑んだ企画が、映画『太陽の王子 ホルスの大冒険』（一九六八年七月公開）（以下『ホルスの大冒険』と略記）だった。結論から述べると、『ホルスの大冒険』では、「残された者たちの共同体」という要素は弱い。民衆は「残された者たちの共同体」を生きているが、それを自覚してはいない。「残された者」であることを自省・自覚しているのはホルスだけであり、それゆえに彼は「主人公」という特権的立ち位置を確保できている。アニメーション表現以外の演出意図に注目するならば、この作品の意義と限界は、近代主義からは切り捨てられてきた「前近代的な共同体」をいきい

【図版1】『太陽の王子 ホルスの大冒険』のポスター。

きと描きながら、それに「日本」的な意匠をまとわせることは結果としてできなかったという点にあった。どういうことか。物語を確認しよう。

物語の構造は単純である。ホルスが叙事詩的英雄であることは、「岩男」に突き刺さった剣を抜くという冒頭の場面で、観客に明瞭に示されている。父親に死なれて孤児となったホルスは、父の遺言にしたがって旅に出る。ホルスは父親の意向で、これまでずっと人間界から離れて生きてきた。父親は、悪魔グルンワルドからホルスを守るためにホルスを隔離してきたのだった。ホルスは部外者として訪れた村で、人間と交流し、徐々に信頼を勝ち得る。また、廃墟でヒルダという少女と出会い、彼女の孤独な心に住む悪魔をも「退治」する。こうして、村の人びととヒルダとの協力を得たホルスは、悪魔グルンワルドに勝利するのである。

『ホルスの大冒険』の準備は、一九六五年から始まった。大塚康生、森康二、小田部羊一、宮崎駿らを筆頭に、若いスタッフたちは、自分たちの理想を映画として結実させるべく奮闘した。アニメーションの主流が劇場アニメからテレビアニメへと移りつつあったこの時期に、スタッフたちが目指したのは、子どもはもちろんのこと、大人も楽しめる質の高い作品だった。そのためには、時間と労力をつぎ込まねばならない。しかし、能率を求めた会社からストップがかかり、一九六六年秋にいったん製作が中断。会社側との粘り強い交渉によって再開すると、最終的には一年半弱の期間で、二八人が五万八千枚の動画を描くという驚異的な作業をへて、『ホルスの大冒険』は完成する(4)。ただし、製作費は当初予算の二倍に膨れ上がり、観客動員もふるわなかった(もっとも、全国での自主上映会などでこの作品を観たという人は多い)。その結果、高畑は会社から目をつけられ、演出助手に降格。[5] 東映動画での居場所を失うことになってしまう。

監督として全体を統括した高畑勲は、この作品と、一九六〇年代当時の社会とを重ねて理解していたと回想している(同時に、アニメーション史の研究者の木村智哉が指摘するように、高畑たちが働いていたアニメーション制作の現場での体験も投影されている)。[6] それが顕著に表れているのは、「村」の位置づけである。高畑は、一九六〇年代の日本が一方では「猛烈ないきおいで全土に自然破壊・環境汚染・公害病・極端な過疎と過密などを引きおこし」、他方では「「村」や「下町」に象徴される共同体の営みは当然のごとくどんどん崩壊に追い込まれて」いるものとして理解されていた。[7] さらに、高畑はベトナム戦争を挙げ、「米国はアジアの一角でもっと露骨に「村を滅ぼし」ていました」と指摘する。[8] そして、「こういう時代の子として、そして戦後民主主義の洗礼をうけたものとして、私たちは悪魔の手から「村を守る」というとき、その「村」を前近代的な因習と隠微な支配と隷属の巣にすぎない、投げすててしまっても少しも惜しくないものに描くことはできませんでした」と主張するのである。[9] 高畑はまた、「彼は何度も死んだり挫折しますが「悪魔」の意に反して、何度でも生き返って来ます。ホルスはひょっとすると、「一人ではなくてたくさんのホルス」なのかもしれません」とも述べていた。[10]

高畑のなかで、戦後民主主義という理念が、「村」の主体性の発見と結びついていたことが理解できる。『ホルスの大冒険』を演出した高畑のねらいのひとつは、それまでの時代劇や現代劇で繰り返し描かれてきた「村」の姿に対する違和感を表明することにあったのだろう。また、一人の英雄ではなく「たくさんのホルス」を、という高畑の願いには、従来の英雄譚への批判が込められていると読むべきである。

従来の日本映画における典型的な「村」の描写の例として、黒澤明の作品を挙げることができる。『七人の侍』の農民たちや『隠し砦の三悪人』の「百姓」のコンビは、まさしく「前近代的な因習と隠微な支配と隷属の巣」として描かれていたようにみえる。もっとも、『七人の侍』の最後にある祝祭的な農作業の場面が示すように、黒澤は農民たちを「投げすててしまっても少しも惜しくないもの」としては描いていないとも言えるが、ほとんどの農民たちが主体性を持たない烏合の衆として描かれていたことは否定できない。

それに対して高畑は、「祖先からの生きるための知恵をうけつぎ、それを発展させてゆくべき人間存在の基盤」として村を捉えていた。そこでは、「村人たちが生き生きと生産にいそしみ、貧しくともになにごとにつけ助けあい、たのしみをわかち合って暮らしている、そういう共同体であってほしい、また現実に私たちもそういう共同体を築きあげなければならない」と考えていた。[11]

高畑の演出意図に加えて、宮崎駿もまた、村の生活と労働の描写の必要性を強く主張したという。[12]こうして、『ホルスの大冒険』における村の労働の場面は、類例のないアニメ表現になった。漁や干魚づくりなどの集団労働、フイゴを使った鍛冶場、婚礼衣装の裁縫などの労働に、大人も子どもも参加している。人びとはみな笑顔で、飛び上がるように溌剌と動き回っている。そこには、高畑が手放さなかった共同体の理想の姿があった。

「民衆的な英雄像」と脱色された「日本」

『ホルスの大冒険』で高畑が挑んだ課題がもうひとつある。それは「民衆的な英雄像」を描くという課題だった。では、「民衆的な英雄像」とは何か？　それについて、高畑は後年に次のように説明している。「民衆的な英雄像」とは、超人的でナンセンスな英雄ではなく、「もしあそこで倒れても、もし死んでも、民衆のなかから同じ様な英雄が繰り返されて出て来るって言うかな、何人もの英雄がひとつの人物の形になっちゃっている」ような人物を指す[13]。なるほど、剣戟の場面よりも、村人たちとともに鍛えた太陽の剣と銛を掲げてグルンワルドを倒す場面に重きが置かれていることを思い出せば、確かにホルスは高畑が言うような「民衆的な英雄像」だと言える[14]。

しかし、そこには難問もあった。『ホルスの大冒険』のように架空の世界を舞台に「民衆的な英雄像」を描くことはできる。では、日本の民衆のなかから出て来る英雄を描くことはできるのか。結論から言うと、当時の高畑にはできなかった。高畑自身が演出助手として関わった『わんぱく王子の大蛇退治』は、日本神話から題材を採っていたが、これは高畑が主導したものではない。高畑は自らが監督・演出した日本を舞台にした作品で「英雄らしい英雄」をほとんど描いていないのである。

一九八一年に『アニメージュ』誌上で行われた宮崎駿・大塚康生・古川タクとの座談会のなかでも、高畑は「「日本の民族的伝統を生かした作品を作れ」といわれても、解決しなきゃならない問題をいっぱいかかえているし、また解決する自信もいまはない」と断言している。[15] ある意味で素朴に「英雄」を描けた宮崎駿にしても、日本を舞台にした作品では、『もののけ姫』のアシタカのように英雄の不可能性に直面せざるを得なかった。

いずれにせよ、日本を舞台に民衆に支持された英雄を描くという作業は、たとえフィクションであっても、高畑にはできなかったのだろう。その理由としては、表面的には高畑たちの世代の戦争体験や戦後民主主義の経験に基づく日本的な伝統への距離感が挙げられる。また、思想史的には石母田正や藤間生大ら戦後の古代史の研究者たちが一九四〇年代末から五〇年代初頭に打ち出した「英雄時代」をめぐる磯前順一の議論がある。[16] 石母田や藤間らは、時代の転換期には個性と共同体との調和を土台に「英雄」が生まれるという考えに立っていた。「英雄時代」の議論はじゅうぶんに展開されずに批判され、頓挫してしまったが、「英雄」には民族の姿があるという認識の枠組みは、形を変えて戦後文化に底流していたとも言えるだろう。また、『ホルスの大冒険』の成立には、瀬川拓男に代表される戦後日本の人形劇運動と、さらにその背景としての国民的歴史学運動が関係していたという鷲谷花の考証もある。[17]

ともあれ、高畑は「民衆的な英雄像」を描くために、日本的なものを脱色し、イメージの源泉をアイヌに見出して『ホルスの大冒険』を完成させた。マイノリティへの注目は「日本的なもの」の回避と表裏一体でもある。高畑自身もそれをよく理解していた。高畑の葛藤は、『火垂るの墓』や『ホーホケキョ　となりの山田君』、そして『かぐや姫の物語』に結実することになる。

民衆史の同時性

さて、『ホルスの大冒険』の意義を、同時代の思想状況に置き直すために、ふたたび戦後歴史学の視座を導入する。それは「民衆史」である。ここでいう民衆史とは、一九六〇年代以降、色川大吉や安丸良夫、ひろたまさき、鹿野政直らによって先導された戦後歴史学・思想史研究の新局面を指す。

一例として、安丸良夫「日本の近代化と民衆思想」（『日本史学』七八・七九号）を参照しよう。安丸の研究のなかで最もよく知られた論文のひとつであるとともに、『ホルスの大冒険』の企画が進んでいた頃に発表されたという同時代性も備えているからである。安丸によれば、従来の思想史研究では、民衆の「思想」は、無視されるか、遅れた非合理なものとして捉えられてきた。思想史研究による近代化理解は、もっぱら知識人や権力者を対象に、近代の合理的自我を摘出してきたというのである。これに対して、安丸は、近世中期（元禄・享保期）から近代にかけての民衆「思想」に注目した。勤勉、倹約、謙譲、孝行、忍従、正直、献身など、日常的規範としての「通俗道徳」のなかに、近世の仏教・儒教の宿命論とは異なる、主体性・能動性を持つ「思想」の芽生えを読み取ったのだ。

以上のような民衆史研究を『ホルスの大冒険』の横に置くことで、高畑のねらいをより明確に位置づけることができる。つまり、高畑のねらいは、知識人の評価の対象外にある子ども向け「漫画映画」において、民衆のパワーを緻密に描き出し、それによって社会批判と娯楽とを止揚するという知的実践だったと言える。ただし、前述したように、その「民衆」は日本の歴史とは乖離した理念であり、理念であるがゆえに、上質のファンタジーの舞台になり得た。これは、映画監督としての高畑の最大の特徴であろう。

ところで、高畑勲は自分の映画の意図をいつも語り尽くしてしまう監督である。ときには登場人物や映画内の語り手が、監督の意図を説明してしまうことさえある。高畑の近くで仕事をした人びとは、その点に気づいていた。

宮崎はのちに「東映動画時代、僕らは『太陽の王子　ホルスの大冒険』でイデオロギー的なものの作り方を試しました。みんなできちんと総括をしたわけじゃないけど、僕は結果的にイデオロギーで映画を作るのはだめだと思った」と述べている[18]。また、テレビアニメでの高畑の仕事を尊敬していたという押井守は愛を込めて「クソインテリ」と表している[19]。

ただし、高畑のねらいとは別に、『ホルスの大冒険』が優れているのは、たとえば、ホルスがヒルダの歌声に誘われて村のはずれへと足を運ぶ場面や、兄のグルンワルドにそそのかされ疑心暗鬼になるヒルダの内面描写だろう。抒情的とでもいうべき映像・色彩・音楽は、戦後アニメーションの達成点を示している。

転機としての『母をたずねて三千里』

『ホルスの大冒険』後の高畑は、いったん演出助手に降格したが、翌一九六九年に『ゲゲゲの鬼太郎』六二話で演出に復帰する。そして、一九七〇年から七一年にかけて、『もーれつア太郎』『アパッチ野球軍』の演出を数話担当した後、東映動画を退社する。このまま東映動画に在籍していても、演出家としての未来はない、より魅力的な仕事がしたいと考えた高畑は、大塚康生と楠部大吉郎から移籍の勧誘を受けて、Aプロダクションに移籍する。

大塚と楠部は、Aプロダクションで『長くつ下のピッピ』のアニメ化企画を進めていた。このとき、宮崎駿と小田部羊一も高畑とともに東映動画からAプロダクションに移っている。しかし、ロケハンまで終えていた『長くつ下のピッピ』の企画は、最終的に原作者の許可が下りず、頓挫してしまった。その後は、テレビアニメの『ルパン三世』を手掛けながら、アニメ映画『パンダコパンダ』を完成させ、さらに瑞鷹エンタープライズに移って、テレビ用の連続アニメの演出に専念する。『アルプスの少女ハイジ』(一九七四年)では、一年間で五二話という長丁場のアニメーションを成功させ、一九七六年に同じく全五二話の『母をたずねて三千里』を演出する。

『母をたずねて三千里』は、高畑にとって転機となる作品だった。文字通り母親を探してイタリア・ジェノバからアルゼンチンへと渡る九歳の少年・マルコの物語には、イタリアの作家デ・アミーチスの原作があったが、それは短編小説に過ぎない。その原作をいかにして、全五二話・一九時間三〇分に展開したのか。高畑が選んだのは、マルコが道中で出会う様ざまな人びとの姿を、ひたすら丁寧に描くという作業だった。少年労働者、旅芸人、黒人水夫、移民たち、インディオの少年、やくざ者……。わかりやすい善人や悪人ではなく、現実のなかで葛藤しながらときに善をなし、またあるときには悪をなす人間という社会的生きものの姿――言い換えるならば民衆の姿を克明に描いたのだった。ここで高畑は「私たちは、ここでおそらくはじめて〝主人公〟たる資格に欠けた〝人物〟と〝社会〟を主人公にしたアニメーションをつくりあげたのだ」と述べているが、本章の問題意識からすれば、共同体を通り過ぎていく主人公を設定することで、多様な共同体を描くことに成功したのである。こうして高畑は主人公の英雄的魅力に頼らない作劇と演出を達成したのだった。[20] そのポイントとなったのが、「社会」を描くという試みだった。

ただし、本章がこれまで論じてきた「日本的」共同体をアニメーションで描くという課題は、手付かずのまま残されていた。高畑はこの課題について『じゃりン子チエ』の劇場版アニメ（一九八一年）とテレビアニメ（一九八一～八三年）で予備的に取り組み、『火垂るの墓』で本格的に向き合うことになる。[21]

『火垂るの墓』における演出と問題意識の乖離

野坂昭如の小説「火垂るの墓」（『オール読物』一九六七年一〇月号）を原作としたアニメーション『火垂るの墓』は、戦争を体験していない世代に、戦争の悲惨を強く印象付ける作品として名高い。もっとも、戦争の悲惨を伝えるという役割を支えていたのは、清太と節子という子どもたちの悲惨な死という情緒的なものでもあった。文学研究者の越前谷宏も指摘するように、映画『火垂るの墓』が犠牲者の物語を反復しており、「銃後の・女性の（子どもの）・被害の」物語を強調しているというのは間違いないのである。[22]

ただし、高畑勲自身の意図は、それとは異なるところにあったということを確認しておかねばならない。高畑は公開当時から、この映画は「反戦のメッセージを伝えようということでこの映画を作ったわけではない」と繰り返し述べている。[23] 高畑が取り組もうとしたのは、野坂昭如が「心中もの」と表現した完結性の高い原作小説を使って、「アニメーションの新しい表現を開拓できないか」という課題だった。[24] その課題は、以下の二点に整理可能である。

第一に、日本人の顔や生活をアニメで描くこと。高畑は「日本人が日本のアニメーションを作る、とはどういうことか、いつも考えていた」[25]。高畑によれば、日本のアニメーションは「日本の家屋をきちんと描いたり、日本人の顔を、尊厳を失わずにキャラクターにしたり、タタミの上での立居振舞をさせることすらほとんどなかった」のだ。[26] 高畑のこの問題意識は、『おもひでぽろぽろ』で一応の完成をみたあと、『ホーホケキョ　となりの山田君』以降に新たに展開されていく。

第二に、主人公が生き残りに失敗するという点である。これも、高畑にとっては挑戦だった。なぜなら「私たちはアニメーションで、困難に雄々しく立ち向かい、状況を切りひらき、たくましく生き抜く素晴らしい少年少女ばかりを描いて来た」からだ(27)。

この第二の点については、もう少し踏み込んだ説明が必要だろう。高畑は、好況に沸く一九八〇年代後半の日本に対する批判を、この映画に込めていた。高畑は、物語の主人公・清太を「当時としてはかなり裕福に育ち、都会生活の楽しさも知っていた。逆境に立ち向かう必要はもちろん、厳しい親の労働を手伝わされたり、歯を喰いしばって屈辱に耐えるような経験はなかった。卑屈な態度をとったこともなく、戦時下とはいえ、のんびりとくらして来た部類に入るはずである」と述べる(28)。そして、節子と二人で生きようとした清太の行動原理が、「物質的に恵まれ、快・不快を対人関係や行動や存在の大きな基準とし、わずらわしい人間関係をいとう現代の青年や子供たちとどこか似てはいないだろうか。いや、その子供たちと時代を共有する大人たちも同じである」と続ける(29)。

つまり、「生き残ることができなかった子どもたち」という主題が、映画公開当時の社会批判と重ね合わされているのだ。しかし、清太に現代人を重ねるという高畑のねらいは、おそらくほとんどの観客には届かなかったのではないか。『火垂るの墓』は、蝿が手をこすり合わせるさまを描くほどの緻密なアニメーション表現によって綴られていた。生き生きと現出する清太と節子の生は、皮肉なことに監督の意図を飲み込んでしまった。

高畑の意図が辛うじて観客に伝わるとすれば、それは映画の結末部の演出によってだろう。映画の最後には、「幽霊」になった清太と節子が、ビルが立ち並ぶ神戸の街を山から見下ろす場面がある。また、同じく結末部には、清太と節子が住んでいた横穴を見渡す高台の洋館が映る場面がある。おそらくは疎開先から帰って来たのであろう富裕層と思われる女性が、蓄音機を懐かしんでいる様子が、音声のみで観客に伝えられる。この演出は、「誰が死に、誰が生き残ったのか」という問いかけを含んだ鋭いものだ。

しかしながら、映画のなかで登場人物たちの行動原理が相対化されることはほとんどないため、作品だけから高畑の意図を読み取るのは難しいと言わざるを得ない。たとえば、清太と節子に辛く当たり、二人が家を出るときに引き留めようともしない親戚の「おばさん」は、誰が見ても「悪人」のように演出されており、清太と節子はただひたすらに「かわいそうな存在」として演出されているようにみえる。(30)

さらに、政治学者の遠藤正敬が言うように、原作には存在していた国際都市・神戸の多文化社会の記述が、映画では取り入れられていないという点も、やはり指摘しておかねばならない。(31)遠藤は「日本人ばかりが神戸大空襲に蹂躙された被害者であるかのような「一国史」の様相を呈しているのが勿体ない」と述べているが、次のような高畑の「正しい」態度を知っていれば、『火垂るの墓』で高畑が神戸の国際性を描かなかったということは、むしろ意外でさえある。(32)高畑の「正しい」態度とは、『機動戦士ガンダム』の監督・富野由悠季との対話の際の高畑の批評を指す。高畑は「あの「ガンダム」の最初の方を見たときに、いま地球上にいるさまざまな人種がちりばめられていないなと、まず感じたんですよ。［中略］たとえば黒人とか中国人はまったく出てきませんねと発言していた。[33] 下手に取り上げたらTVコードに触れると返答する富野に対して、高畑が「そんなことないよ」と食い下がる場面もあり、最終的に富野は「まったく正しい指摘です」と述べて、制作現場の限界を口にしている。[34]

死者のまなざしと「日本人」

「幽霊」になった二人が神戸の夜景を見下ろしているという映画の結末部についてはさきに触れた。この点にもう少しこだわってみよう。この場面には高畑の透徹した同時代認識が表れているからだ。

まずは、清太と節子の「幽霊」に、高畑なりの「日本人論」が込められていたことを確認しておこう。高畑は『火垂るの墓』について自ら述べた講演のなかで、「先立った人たちに見つめられているのだ、という日本人の昔からの感覚をもつことが必要ではないか」と述べていた。[35] 高畑は次のように続ける。

神に対してではなくて、他人の目を一番気にして行動する日本人の「恥の思想」も、どうやら生きている「他人」だけではないようなのです。死んだ人たちも、じつは極楽のような遠くへ行ってしまったのではなくて、このあたりに居て、生きている私たちを見ているのだ、と日本人は感じて来たのではないでしょうか[36]。

しかし、清太と節子の「幽霊」を感じる「現代人」は映画には登場しない。夜景を見下ろす場面では、神戸の街の人びとの姿が映されないため、誰も二人の存在を覚えていないのではないかという疑念がよぎる。二人の「幽霊」が、他者のまなざしの客体となることはないのだ。誰からも思い出されず、感知されることもない「幽霊」とは、通常の意味での幽霊とは呼べないだろう。「幽霊」とは、それを見る者・感じる者がいてこそ成り立つ形象なのだから。清太と節子の「幽霊」が、赤く塗られているのは、二人が通常の意味の幽霊ではないと観客にわかりやすく示していると受け止めることができる。戦争経験者ならまだしも、一九八〇年代末、戦後四〇年を過ぎた日本社会の若者たち・青年たちが「戦争の死者に見つめられている」という感覚を持つのは困難だった。こうした感覚は、おそらく「日本人」に限定されるものでもないし、時間の限定も不要だろう。しかし、戦後日本を生きた人びとの経験に照らし合わせると、身近な死者たちを思い出すというときに、それが戦争による死者の場合ならば、想起の経路のどこかに国家が介入することは避けられなかっただろう。死者の視線を感じてしまう生者はいつの時代にも存在するが、その経験の戦後日本的な特徴は、見つめられている当人をときとして国家との緊張関係に再配置するところにあった。それを少しでも体感してほしいという高畑の願いと、しかしそれは現状では難しいという冷静な認識が、結末部には込められているかのようだ。

映画『火垂るの墓』が公開された当時の日本社会はいわゆるバブル景気の渦中にあった。戦後日本の経済的繁栄の絶頂期において、日本の「成功」の要因を日本人論や日本文化論として論じる風潮も散見された。高畑は、そうした日本人論や日本文化論とは異なるかたちで、日本の共同体が培ってきた発想や姿勢を再評価し、批判的に継承しようとしていた。暴走して加熱しかねない個人主義を安定させる錨や重石のような役割を果たす共同体。それはいかにして可能かを模索する高畑の試みは、『柳川掘割物語』（一九八七年）という社会・環境に着目するドキュメンタリーとしてすでに結実していた。そして、それに続く『火垂るの墓』では、結末部で死者との共同体の可能性と不可能性を両義的に描いていた。

ただし、実直な高畑は、そこからまた新たな課題を抽出することになった。戦争で死んだ者たちとの共同体を志向するとして、その際には避けて通れない問いがある。なぜ戦争が起こったのか、そこで日本人は何をしたのかという問いである。この問いを念頭に、高畑は『火垂るの墓』の次の作品を構想することになる。

〈民族〉と〈抗日〉

高畑勲が『火垂るの墓』の次に映画化を目指したのは、しかたしん（四方晨）の小説『国境――第一部・一九三九年』（理論社、一九八六年）のアニメーション化だった。しかたしんは、一九二八年に朝鮮に生まれ、京城帝大予科在学中に終戦を迎えた戦中派世代の劇作家・児童文学者である。[37]この企画は実現しなかったが、一九八九年四月一七日付の企画案が公表されているので、その企画案をもとに、適宜原作を引用しながら、原作者・しかたと脚色者・高畑の構想を確認しよう。[38]

この物語の舞台は一九三九年の朝鮮半島と中国東北部である。主人公・山内昭夫は京城大予科の二年生。日中戦争勃発後、学生の彼らにも戦争の影が忍び寄りつつあった。彼は親友・田川信彦の失踪の謎を解明するために、朝鮮半島から満州へと旅立つ。彼が探している親友・田川は「おれは天皇陛下のためには死ねそうもないが、満州の未来のためなら死ねる」と言って満州軍官学校（満洲国陸軍軍官学校）へ進んだという人物だ。[39]卒業前の渡河演習中に河の氷が砕けて流れに飲まれ、行方知れずとなり、事故死として処理されていた。しかし、田川は妹に手紙を遺していた。昭夫は田川の妹から、田川がなんらかの決意を胸にしていたこと、その手紙を探して憲兵が田川の家を捜索に来たことを知らされて、田川を捜索する旅に出るのだった。

登場人物たちの造形にも、高畑の思想が如実に表れている。たとえば、満州放送のアナウンサー・原田秋子。彼女は日本語・中国語・朝鮮語・モンゴル語を流暢に話す知的で美しい女性で、

【図版 2】しかたしん『国境――第一部・一九三九年』（理論社、1986 年）のカバー。

モンゴルの王族の血を引いており、抗日運動の地下活動家という設定だ。親友の田川信彦もまた、モンゴル王族の遺児であり、満州国の五族協和の理想に共鳴して満州軍学校に入ったものの、満州に幻滅して抗日戦線に加わっているということが明らかになる。そして、昭夫もまた、満州の理想に疑念を抱き、自分が信じていた大日本帝国の異なる姿を見て、動揺する。

抗日活動家と接触する昭夫の動きを、日本の官憲が見逃すはずもなかった。昭夫は憲兵に捉えられ、拷問を受ける。昭夫は拷問に耐え、秋子や信彦を売ることはなかったが、抗日運動に身を投じることにはためらいがあった。しかし、秋子の身に危険が迫りつつあった。そこで昭夫は、秋子をモンゴルにあるという根拠地に送り届けることを決意する。映画はモンゴルの諸部族の風習・風物を背景に、二人の逃避行を描く。追手が迫るが、それを払いのけ、昭夫は秋子を根拠地に無事送り届ける。その後、昭夫自身は北平（北京）を目指して出発する――。

高畑勲は、『国境』第一部の映画化企画のねらいを「いわば戦中の「亜細亜の曙」「夕日と拳銃」「熱血の少年騎馬兵」等々のいわゆる「満蒙」を舞台にした熱血物語（私はその実態を知りませんが）の完全な裏返し」だと述べていた。[40] そのねらいについて、高畑は次のように詳述している。やや長くなるが、引用しよう。

一、日本の冒険活劇アニメは、もっぱら空間を宇宙にとり、時間を未来に飛躍させて、ＳＦファンタジーにその活路を見出して来たが、劇画調を再度復活させることで、活劇の舞台をもう少し現実に引き戻すことは出来ないだろうか。

二、経済大国となった日本が、無意識のうちに過去と同じ道を辿る危険を冒さぬために、映像でも、あの時代の歴史を若い世代に伝えたいが、まともに扱うと、日本人に否定的な役割しか演じさせられず、ただ気の滅入る映画になりかねない。これを切り抜ける方法はないのだろうか。

三、人は他者と接してはじめて自分を知る。外国へ行ってはじめて自分の国をふりかえる。もし、外国が自分の国へ侵入し、文化を押しつけてきたら、もっと強烈に時刻を意識することになる。逆に他人の国へ侵入する側に立った場合どうなのか。あの時代の大陸、朝鮮半島をめぐる複雑なアイデンティティーの問題をとりあげる事によって、いま必要とされる日本人の国際感覚について考えるきっかけを与えられないだろうか。[41]

高畑の言葉からは、この企画が驚くべき「啓蒙的」意図を持っていたことがわかる。第一の現実に基づいた活劇の舞台という発想は、すでに本章で確認したように『ホルスの大冒険』以来の持続した関心だった。「活劇の舞台をもう少し現実に引き戻す」ための「劇画調」の採用は、原作『国境』の挿絵を担当した真崎守に触発されてのことだろうか。

第二と第三の発想には、『火垂るの墓』の反省が込められている。アニメーション監督・片渕須直の回想によれば、高畑は「二国間の国境ではなくもっと多くの民族がいるところ、そこに日本人もいるということの意味を描きたい」と考えていたという。(42) 日本と中国と満州国間の緊張が高まりつつある時代を設定し、国家による方向付けに可能な範囲で抗おうとする青年たちの群像。これをアニメーションで描くという高畑の企画は、「五族協和」の理想を、民衆たちの関係のなかに見出そうとするものだ。それは、しかたの原作に内在していた一種の「アジア主義」という問題圏を引き継ぎつつ、後続世代に「残されたもの」としての植民地責任に、高畑なりに向き合おうとする試みだったとも言える。もちろん、「こうありたかった」という願望をフィクションで回復しようとするのだから、ある意味では「都合の良い」企画だと批判することもできる。ただし、その根源には、『火垂るの墓』から一歩踏み込んで、アジアの死者たちに見つめられているという問題意識があったとも言えるのであり、そこから「アジアの共同体感覚」という未来を手探りしようとする思想的実践だったと評価することも可能なのではないか。

また、「あの時代の大陸、朝鮮半島をめぐる複雑なアイデンティティーの問題」から、現代に必要とされる「国際感覚」を考えるという高畑の課題は、日本社会が一九九〇年代に本格的に直面することになる東アジアとの関係を先取りするものだったと言えるだろう。しかし、この企画は実現しなかった。企画が頓挫した理由のひとつには、天安門事件により、中国を舞台にしたアニメでは興行収入が期待できないという判断があったようだ(43)。

思い出のなかの共同体

『国境』の企画進行と並行して、高畑は漫画『おもひでぽろぽろ』(一九九一年)の映画化の可能性を探っていた。この作品については、ヴ=ナロード的な農村・民衆への「下降」欲求を指摘するのは容易いが、それよりもノスタルジーという問題系で捉えたほうが、本書にとっては有益である。

この作品は、二七歳のタエ子が小学五年生のときの家族生活や学校生活を思い出しながら、山形の農村を訪問し、自らを見つめ直すという物語だ。ここでは、よく知られた最後の場面に注目しよう。タエ子は前日の晩に同級生の「あべくん」をめぐるある後悔の記憶についてトシオと会話し、その記憶を自分なりに整理するという作業を経験していた。記憶の重荷を下ろすこのエピソードは、最後の場面の前兆となっている。映画の最後では、タエ子は電車に乗って東京に戻ろうとしているが、そこで翻意してトシオに会うために戻る。この場面の特徴は、現代のタエ子の周囲に、小学五年生の頃のタエ子とクラスメートたちがいるというところにある。子どものタエ子たちに見守られながら、二七歳のタエ子は電車を降りる決断する。二人で歩くタエ子とトシオを後ろから追いかける子どもたちの様子は祝祭感にあふれているが、最後に二人を見送る子どもたちの表情には、淋しさの影が差している。この演出の意図を推測するのは容易だろう。次のステージに向かうタエ子は、いつまでも過去の家族やクラスメートたちとの思い出の共同体に留まるわけにはいかない。懐かしい思い出からは取り残された現在の自分を自覚することが成長なのであり、思い出は荷を積み下ろしするための係留地であるべきだ――それが、高畑の意図だったのだろう。

高畑がノスタルジーに関心を抱いた背景には、当時の世相があった。昭和の終わりにあたる一九八八年頃から、「レトロ趣味」や「レトロ・ブーム」と呼ばれた消費動向が顕著になっていたのである。家電メーカーが最新機能にレトロな概観の新商品を売り出し、テレビアニメでは『のらくろ』や『おそ松くん』、そして『ちびまる子ちゃん』が話題となった。『ちびまる子ちゃん』の人気の要因として、視聴者が「ノスタルジー」を挙げているという報道もなされていた[44]。その他の例として、芦原すなおの小説『青春デンデケデケデケ』(河出書房新社、一九九一年)も挙げられるだろう。なるほど、バブル経済の絶頂とその崩壊直後の社会に残った精神的慣性が、バウマンが言うところの「同族集団をモデルにしたコミュニティの復権」を求め、「原始的・古代的な自我の概念への後退現象」を起こしたのはよく理解できることではある[45]。

高畑はこうした現象について、「過去をふりかえり、あれこれ細かいことを数え上げ、みんな同じだったんだ、と安心する。いわゆるアイデンティティーとか帰属意識とかいうものが人間の精神的安定に必要だとして、私たちはこれほど脆弱なものにもすがらなければならないのだろうか」と批判的に言及にしていた。[46]先述のように、この映画は、ノスタルジーを経由して新たな一歩を踏み出す主人公を確かに描いている。過去へと向かうベクトルは、確実に弧を描いて未来へと向かうように設計されているのであり、自己の現状に対する批判的視座の供給源として、過去が呼び出されたと読むべきだろう。懐かしい過去のなかに棘のように刺さった「あべくん」の記憶。その記憶の再解釈を通して、タエ子は過去との限定的な和解を果たす(「あべくん」は不在のままである)。

タエ子の内部で起こった過去との限定的和解は、「過去にあったものがいまはない」という喪失の感覚ではなく、過去との連続性のなかに自分を置き直すという作業だった。こうして、タエ子は、たんなる「東京からの逃避先」や「田舎への憧れ」を越えて、山形のトシオを選び直すことができたのである。つまり、現在志向・未来志向のノスタルジーもあり得るということを、高畑は示したかったのではないだろうか。しかしながら、映画内のタエ子の思い出の描写があまりに優れていたためだろうか、この映画はもっぱら回顧的な作品として受け止められた。それゆえ、ちょうど『火垂るの墓』が監督の意図とは裏腹に「泣ける反戦アニメ」として受け止められたのと同様に、監督の意図とは逆の受容傾向を生んだ。

『おもひでぽろぽろ』以後の高畑は同時代の日本社会を描くという方向に進んでいく。『平成狸合戦ぽんぽこ』(一九九四年)では人間が作るフライドチキンを食べたいという消費者の欲望は否定せずに、抵抗主体としてのタヌキを描いた。タヌキによる回顧的な一人語りから始まるこの映画は、ノスタルジーなど許されないタヌキたちの苛酷なサバイバルを、ユーモアを交えて描いている。人間に擬態して生き残ったタヌキが、かつての仲間たちと踊るラストシーンは、叶わなかった夢の悲しさと、それでもなお喜びは捨てないという楽観性が同居しており、高畑の民衆観がわかりやすく表現されていた。「残された者」たちの共同体を成立させることがどれほど困難であっても、「残された者」たちはそれを求める。ほとんどの人間がそれに気付かないとしても、「残された者」たちの共同体はある――そのような願いが、高畑勲の作品の通奏低音だったのではないだろうか。

第6章　経験を持たないものたちの戦争——こうの史代と共感のテクノロジー

現代における被爆の記憶

前章で確認した『火垂るの墓』の物語のなかで、防空壕に立てこもった清太は、自分自身と妹の生存のために、夜間の畑泥棒や空襲時の火事場泥棒をはたらいて他者から食料やモノを奪わねばならなかった。あるいは、「省線三宮駅」の柱に横たわり、意識が朦朧としている清太の横に、通行人が握り飯の施しを置いていた。戦災孤児は、奪ったり施しを受けたりしなければ生きていけなかったし、それでも命を繋ぐには不十分な場合もあった。

これとは対照的に、戦災孤児が自らの食料を他者に差し出すという場面を描き得た漫画家がいる。こうの史代（一九六八〜）である。

原爆ものをみたり描いたりすることになぜ抵抗感があったのか。残酷だからといってしまえば楽ですし、だいたいそういうふうに逃げてきたんですけど、本当はそうではないんですね。

たぶん「原爆」というとすぐに「平和」に結びつけて語られるのが私はいやなのだと思います。だって、まるで原爆が平和にしてくれたかのようじゃないですか。そこにすごく違和感があって、だから原爆の話にばかり食いつくひとにすごく抵抗がある。(1)

本章では、おもに二〇〇四年に刊行された漫画『夕凪の街 桜の国』と、二〇〇七年に公開された映画『夕凪の街 桜の国』(以下『夕凪』と略記)を対象に、現代における被爆の記憶の問題を考察する。なお、適宜、『この世界の片隅に』(全三巻、双葉社、二〇〇八〜〇九年)の描写も参照し、二一世紀に戦時下の日常を描くことにこだわったこうの史代の営為を辿り、その現代性を浮き彫りにしたい。

漫画『夕凪』の作者、こうの史代は、あとがきの中で、自らは被爆二世でなく、親族にも被爆者はいなかったと語り、広島で生まれ育った自分は、それゆえに、原爆というテーマを避けていたのかもしれないと自問していた。それを示すかのように、漫画『夕凪』の巻末には「おもな参考資料」として一七冊の文献が挙げられている。つまり、私たちと同様、こうの史代もまた、個人的記憶によってではなく、過去に発表された広島原爆に関する作品や体験記を参照することによって被爆を語っている。

被爆体験を持たないという点は、二〇〇七年に公開された映画版の監督、佐々部清(一九五八年〜)にも当てはまる。佐々部は投下直後の惨状を、被爆者による絵画や、広島平和記念資料館(以下、平和資料館と略記）の展示品を引用することで表現しようとした。のちに本章のなかで検討することであるが、作り手も受け手もそのほとんどが戦争体験を持たない現代においては、「体験の重み」を参照する手法が目立ってきている。

原作漫画とその映画化作品を受容した人々は、自らの原爆認識を形成する様々な参照項のうちに、この作品を組み込んだことだろう。当時の資料や証言と、それによって構成された『夕凪の街 桜の国』が、受容者である私たち（その多くは非体験者）の中で並置される。つまり、『夕凪の街 桜の国』とその評価言説は二〇〇〇年代以降の被爆に関する集合的記憶を構築するメディア文化のひとつだと考えられる。これらのことを考慮に入れれば、この作品に、現代の被爆の記憶とこれからの被爆の語りを考える手がかりを求めるのも、あながち牽強付会とも言い切れないだろう。体験を持たない私たちは、これから被爆という出来事をどのように語っていくことが可能なのだろうか(2)。

漫画『夕凪の街 桜の国』の「さりげなさ」

漫画『夕凪』は「夕凪の街」と「桜の国（一）」、「桜の国（二）」の三つのパートからなる。「夕凪の街」は『Weekly 漫画アクション』（二〇〇三年九月三〇日号）に、「アクション極上読み切りゲストシアター」として掲載された。舞台は一九五五年の広島。「平野皆実」は同じ職場で働く「打越」に好意を抱くが、幸福を感じると被爆直後の惨状や亡くなった家族を思い出してしまい、恋に積極的になれないでいた。「打越」の告白を受け、「皆実」は自分が被爆者であることを打ち明ける。二人の恋愛が順調に始まるかと思われた矢先、「皆実」は体調を崩して床に伏せる。物語は「皆実」の死で幕が下りる。

「夕凪の街」が発表されてから約一年後、「桜の国（一）」が、『漫画アクション』（二〇〇四年八月六日号）に掲載された。なお、『漫画アクション』は『Weekly 漫画アクション』の後継誌である。また、「桜の国（一）」の初出時の題名は「（一）」が付いていない「桜の国」だった。

「桜の国（一）」の舞台は、一九九〇年代の東京郊外。「皆実」の姪にあたる「七波」の少女時代が、友人の「東子」、弟の「凪生」を交えて描かれる。「夕凪の街」と共通する人物としては「七波」の祖母の「フジミ」、父の「旭」が登場する。しかし、彼らは不自然なまでに顔が隠されており、読者に原爆を想起させる描写は初出時の最終頁にある文章のみだった。[3] したがって、初出時の読者は、熱心なこうの読者をのぞいては、「夕凪の街」との連続性を認識するのは困難だったかもしれない。『夕凪の街 桜の国』が二〇〇四年一〇月二〇日にA5版の単行本として刊行された際に追加されたのが、描きおろし作品「桜の国（二）」である。

「桜の国（二）」は、二〇〇四年の東京郊外が舞台。「旭」が広島を歩き回り、その娘「七波」は「旭」を尾行しながら、伯母の「皆実」の人生を追うことになる。そしてその過程で、「七波」は、叔母の「皆実」と母の「京花」の体験に思いを馳せ、被爆二世であるという出自を能動的に選び直す、というストーリーだ。

『夕凪の街 桜の国』は評論家たちから高い評価を受けることになるが、その評価には共通点があった。まずは当時の評価言説をみてみよう。

柔らかなフリーハンドの線で構成された画面は暖かく爽やかで、凄惨な被爆シーンは直接的には登場しない。それでいて、人類史上最大級の愚行を、手の届く感覚として伝えてくれるのだ。(4)

たった一〇〇ページでありながら、「戦争を知りようがない世代にとっての戦争の影」を見事に描き出している。父母から子の世代への願いや受け継がれる記憶や価値観の微妙な違いをいとおしく綴って、力強いメッセージ性を持ちつつも、押しつけがましくならずに読者の受容を喚起する、独特の表現方法に感服した。(5)

『夕凪の街』は広島を舞台に被爆者の女性の生活と淡い恋、そして悲劇を描いた作品だが、従来の反戦物にはない「暖かさと静けさ」がある。(6)

声高に反戦・反核を叫ぶのではなく、一人の人間がいやおうなく歴史と切り結ばざるを得ない悲劇を、淡々と書いている。(7)

戦争を描きつつも「暖かさ」や「静けさ」を感じることができ、「日常性」に立脚しており、メッセージが「押しつけがましくないこと」――評者たちはこれらの要素に注目し、高い評価を与えていたことがわかる。

もっとも、同様の評価が可能な作品は、『夕凪の街 桜の国』以前と以後にも存在する。こうの史代の作品を戦争表現の系譜に位置付けるためにも、前述の要素を満たす映画『黒い雨』と漫画『砂の剣』、そして漫画『ペリリュー――楽園のゲルニカ』を取り上げて、予備的考察を付しておく(8)。

「共感」のテクノロジー

戦後日本の原爆描写の系譜を辿るとき、今村昌平による映画『黒い雨』(一九八九年)は外すことの出来ない作品である。戦後日本の原爆表象の、一九八九年段階での集大成であると同時に、一九八九年以後の原爆表象のみならず戦争表象をもある程度規定することになった作品だと言える。その理由は以下の三点である。

第一に、原爆投下直後の惨状を、従来の描写を踏まえてリアルに再現した点。映画『黒い雨』は、閃光と爆風ののち、次第に火の手が広がる広島を逃げ惑う人びとの姿を克明に捉えている。たとえば、主人公たちが道中で目にするのは、発狂してしまった者や、焼けて剥けた腕の皮が爪で止まるために手を前に突き出して歩く者の姿である。主人公たちはまた、「水をください」というよく知られた声を耳にする。これらは、従来の原爆を扱った作品や体験記を踏襲しており、その意味で「集大成」と呼べる。

第二に、日常性。よく知られるように、『黒い雨』は原爆を生き延びた人びとに忍び寄る原爆症を描いている。そもそも、井伏鱒二の原作は、登場人物たちが残した手記を挿入するという体裁をとって、戦時下の日常を克明に描いていた。たとえば、重松の妻・シズ子の手記「広島にて戦時下における食生活」は、統制下で物資が窮乏していた当時の生活が微細に綴られており、日常の静かな積み重ねが一種の迫力を生んでいた。日々の生活を重視しているのは映画版も同じである。田舎の村での人びとのゆったりとした生活を、モノクロのフィルムで淡々と映していた。こうの史代は、『この世界の片隅に』のなかで、料理や裁縫をはじめとする戦時下の日常生活における女性たちの工夫を、暖かい描線で微細に描いていたが、そこには井伏の原作と共通する意識が働いていたと言える。

【図版 1】今村昌平『黒い雨』（東映、1989 年）の DVD パッケージ。

第三に、女性性。『黒い雨』は、田中好子演じる矢須子の結婚差別が物語の縦糸になっているため、観客は黒い雨を浴びた矢須子の発症を劇的に受け止めることになるのだが、衰えていく女性の表象も、戦後日本で繰り返されてきた被爆者表象の典型のひとつである。女性被爆者の表象は、『夕凪の街 桜の国』の先行作品として映画『黒い雨』を挙げる理由であり、以後の原爆・戦争表象をある程度規定したと評価できる理由でもある（なお、映画『黒い雨』には、編集時にカットされた一九分におよぶ現代編が存在する。現在はDVDの特典映像として視聴可能なこの現代編も、『黒い雨』を先行作品として扱う理由として挙げてもよいだろう）。

次に漫画家・比嘉慂《すすむ》の一連の作品を取り上げる。比嘉は一九九〇年代初頭から『ビックコミック』をはじめとするメジャー誌を舞台に、自身の父母が体験した沖縄戦を描き続けてきた。作品集『砂の剣』（小学館、一九九五年。復刊は二〇一〇年に青林工藝舎から）が名高いが、たとえば『砂の剣』に収録された諸作品の特徴は（スクリーントーンは部分的に使用されているものの）温かみのある手書きの描線で、戦争に巻き込まれる住民たちの視点から戦争を描いたところにある。また、現代の沖縄を舞台に戦争の記憶を描いた作品もある（「喜劇 土盗り」）。「暖かさ」や「静けさ」、「日常性」、「押しつけがましくない」といった評価が当てはまる作品だと言える。

最後に、武田一義『ペリリュー――楽園のゲルニカ』（白泉社、二〇一六～二一年）を取り上げる。この作品は、タイトルが示すように、パラオのペリリュー島での戦闘を描いた漫画だ。ペリリューは、約一万人の日本軍兵士のほとんどが戦死し、生存者はわずか三四人という激戦地である。ペリリューを舞台にした戦争漫画――そう説明すると、凄惨な描写が続くのではないかと構えてしまうかもしれないが、武田が描く兵士たちの姿は「かわいい」。その「かわいい」兵士たちが、凄惨な戦場を過ごすというところに、『ペリリュー』の特徴がある。武田は、「かわいい」兵士を造形した意図を、「いまの若い読者層にとって読みやすくなければ意味がないので、キャラクターのかわいさ、絵柄のかわいさは大前提です」と述べる(9)。武田は「読者にストレスをかけないというのは、二〇〇〇年代に顕著になりました。主人公が挫折を乗り越えて成長していくという物語が嫌われる傾向になってきた」と述べ、そうした傾向は「仕方のないことだなとも思っている」と続ける(10)。「かわいい」絵柄には、読者の「ストレス」を低減させるというねらいもあったのかもしれない。

登場人物の設定にも、武田の工夫がみられる。主人公の田丸一等兵は、漫画家になることを夢見る二一歳の青年で、兵士たちの死を遺族に伝える功績係という設定だ。書き残す者である田丸は、戦友たちの最期を遺族が納得するかたちに脚色する者でもある。また、性自認に迷う泉という兵士

【図版2】比嘉慂『砂の剣』(青林工藝舎、2010年)のカバー。

【図版3】武田一義「戦場漫画『ペリリュー――楽園のゲルニカ』(第2巻、白泉社、2017年)のカバー。

や、島に残っていた島民たちの姿が描かれる。こうした多様な設定を背負った登場人物たちが織り成すドラマには、取材に基づくリアリティがあり、そのリアリティの上に展開されるフィクションに説得力を与えている。武田は「ペリリューに上陸した一万人の日本兵には一万通りの人生があったのだと思います。そういう当たり前のことが、七〇年以上も前の戦争という特殊な状況下だと忘れられがちになってしまう」とも述べていたが、そうした多様な生を肯定する姿勢が、この作品を現代的なものにしている。[11]

戦場であっても銃後であっても、人間は衣食住に代表される生活の基盤を工夫して整えようとするし、そのために様ざまなコミュニケーションを必要とする。これまで紹介した三作は、戦闘による死の瞬間を劇的に描いたり、将校たちの鳥瞰図的な視点から戦略を描いたりはしない。そうではなくて、人間の死をその前後の日常のなかに配置することで、戦争という巨大な社会現象を現代的に捉え直そうとしていた。

戦争体験を持たない読者や観客は、戦争を異常事態や非日常として、自分の遠くに置いてしまいがちである。それが間違いだというわけではないが、戦争を遠ざけすぎてしまうと、戦場や銃後の人間たちを、現代の自分たちとは異なる人間だと想定してしまいかねず、想像力が限定される。それを避けながら、読者・観客を「共感」へと誘うために、表現者たちは様ざまな工夫を凝らしてきた。「共感」は、主体的な想像力を働かせる基盤となり得るからだ。こうして表現者たちが選び取ったのが、モノクロのフィルムであり、虫瞰図的な視点であり、手書きの線であり、「かわいい」

キャラクターという「技術の体系」だったと理解することもできる。漫画『夕凪の街 桜の国』について、「暖かさ」「静けさ」「日常性」「押しつけがましくない」などの評価が与えられたのは、近年の戦争表現が積み重ねてきた「共感」のテクノロジーの存在を評価者たちが読み込んでいたからに他ならない。

「さりげなさ」の要因

では、漫画『夕凪』の「共感」のテクノロジーとはどのようなものなのか。以下ではこの作品の具体的な考察に移りたい。考察の手がかりとなるのは、すでに確認したように「暖かさ」「静けさ」「日常性」「押しつけがましくない」といった評価言説である。ここでは、これらの評価言説の共通項を「さりげなさ」と総称し、その「さりげなさ」の要因を漫画表現の分析を通して探ってみたい。

漫画『夕凪』の「さりげなさ」の要因として、まず考えられるのは、作者の描線技術だろう。先に挙げた評言にも「柔らかなフリーハンドの線で構成された画面は暖かく爽やか」という指摘があったように、こうの史代の漫画表現の特徴はトーンを使わずにすべて手書きで済ませていることにある。本章では、この描線技術の他に、以下の三つのポイントに注目したい。それは、第一に政治性との距離、第二にジェンダー配置、第三に「記憶空間」の描写、である。

漫画『夕凪』がとった政治性との距離を測定するために、いくつかのコマからその表現を検討し

【図版 4】こうの史代『夕凪の街 桜の国』（双葉社、2004 年）のカバー。

てみよう。

漫画には、原水禁運動のビラや看板を背景に、無表情の主人公が手前に歩いているコマがある。そのコマでは、運動参加者の男性の顔は描かれておらず、表情を確認することはできない。社会運動の存在を「風景」のように書き込むという方法は、たとえば今村昌平の映画『黒い雨』にも共通する。病院を出てきた主人公と姪が、ストックホルム・アピールの署名運動を呼びかける人たちを見送る場面がある。「風景」としての社会運動という表象の特徴は、白土三平『消え行く少女』（日本マンガ社、一九五九年）のコマと比較したときにより明瞭となるだろう。『消え行く少女』でも同様に原水禁運動が描かれているが、拳を突き上げている運動参加者の学生、看板の文字の字体などは、こうの史代の漫画と見事なまでの対照をなしている。

次に「原爆スラム」の描かれ方をみてみよう。「原爆スラム」とは、太田川左岸の河川敷に、原爆で四散した人々や引き揚げ者らが住宅難から次々と流入し、不法住宅が密集したことによってつけられた呼称である。「原爆スラム」では、一九五一年九月以降、区画整備が進み、立退き反対運動が起こっていた。一九六五年に至っても堀立小屋が九〇〇戸残っており、総世帯数一一三五のうち朝鮮人世帯は一七五世帯、約六五〇人が居住していたとされる。[12]

【図版 7】帰宅途中の主人公。『夕凪の街 桜の国』。

【図版 5】原水爆禁止世界大会の看板と主人公。『夕凪の街 桜の国』。

【図版 6】白土三平『消え行く少女』（小学館クリエイティブ、2009 年）の最後のコマ。

日常生活の場としての「原爆スラム」を描いたコマには「立退き反対」のポスターが描かれている。また、主人公の前後に描かれた人々が着ているのはつぎはぎだらけの服だ。しかし登場人物たちは、劣悪な住居環境に対する不平も、一方的に立ち退きを要求する市政への反対も口にしない。むしろその表情からは「のどかな」と形容したくなるような日常生活を読み取ることができるだろう。一方、コマの上部に描かれた男性のうつろな表情に、「原爆ぶらぶら病」などと呼ばれた、働こうにも働けない被爆者の姿を読み込むことも可能かもしれない。このように、被爆者運動や原爆の痕跡は確かに書き込まれているが、それらはあくまで背景にとどめ置かれているのである。劣悪な住居環境、市当局との立ち退き闘争、そしてそこで暮らす市井の人々が巧妙に配置されている。

これまで確認したように、こうの史代は、何を描いて何を描かないかという選択を極めて慎重に自覚している作家だと言える。そうした態度は『この世界の片隅に』にも表れており、こうのは自身の選択の意図を次のように述べている。

戦時中の資料を調べると、竹やり訓練でトルーマンとかチャーチルに見立てた的を刺したり、紙に描いてわざわざそこを踏んで歩くようにしたり、という描写があるんですけれど、そういう特定の誰かを糾弾する様子は排除しました。というのも、庶民は自分たちが悪いという罪の意識も責任感もないまま、簡単に戦争に転がってしまうことがありうることを、いまの時代に伝えなくてはいけないと思ったのです。そういうのを入れちゃうと「この時代の人はこういうことをやっているからダメだんだ」と思って終わりなんですよ。[13]

こうした選択は、中田健太郎が述べるように「作中人物たちの戦争責任や加害性を、読者が安全に批判して、そこから距離をとるような逃げ道を、こうのはきびしく閉ざそうとしている」と言える。[14] 同時に、「共感のテクノロジー」を確認した本章の議論からすれば、その種の選択は、こうのの意図とは逆に、政治性が内包する敵対性を緩和し、安心して読める物語として読者の裾野を広げることにも寄与したのかもしれない。

次に、二点目のジェンダー配置に移ろう。漫画『夕凪』の後半のパート「桜の国」では、「七波」と「凪生」という被爆二世の姉弟が登場する。姉の「七波」は野球クラブに入り、男子との喧嘩もいとわない勝気な性格の少女として設定されている一方、弟の「凪生」は原因不明の喘息で入退院を繰り返す、内気で優しい男の子として描かれている。これは「明朗闊達な男性、薄幸の女性」の『はだしのゲン』とは対照的であり、漫画『夕凪の街 桜の国』が終始女性の視点から綴られた物語であることを印象付けている。

三点目は、「記憶空間」の描写である。『夕凪の街』には主人公の記憶がフラッシュバックする場面がある。主人公・皆実と打越のキスシーンを描いたコマは、一九四五年八月の時空間に、一九五五年を生きる主人公たちが配置されている。死体が川を埋め、橋には爆風による瓦礫と死体が散乱しているという原爆投下後の惨状のなかで、二人はキスをしようとしている。一九四五年を

【図版8】原爆投下直後の記憶がフラッシュバックする場面。『夕凪の街 桜の国』。

思い出している主体は、当然ながら皆実である。打越には見えていない時空間だが、皆実と読者には見えているこのコマを「記憶空間」と呼ぼう。この「記憶空間」は作者の高い技術によって緻密に作り上げられている。死体や橋の描線と一九五五年の主人公たちを描いた線とでは、微妙に強弱が異なっているのである。さらに、橋の上の死体やその遠方にある川に浮かぶ死体も、思い出す主体である皆実との物理的・心理的距離の遠近によって、書き分けられている。

本書の第4章では、大林宣彦が映画で試みた「記憶空間」を確認したが、ここに表現されているのは、漫画による「記憶空間」である。大林の映画とこうの史代の漫画とでは異なるところもある。前者が「記憶空間」を時空のゆがみを感じさせる映像に仕立てたのに対し、後者が描く「記憶空間」は、確かにショッキングな場面ではあるものの、描線の強弱を巧みに使い分けることで、ゆがみや違和感は少なく、作者による高度な操作が働いている。その結果、ある読者にとっては「残酷で直視しがたい悲惨をいくぶん緩めて描いた表現」と受け止めることができるし、他の読者にとっては「記憶空間の表象に挑んだ表現」と受け止めることもできる。前者のような受け止め方に立つならば、『夕凪の街 桜の国』の「さりげなさ」を高く評価する言説が生まれるのも当然であろう。

さて、表象不可能な惨状のフラッシュバックを、思い出す主体の痛みと合わせて読者に提示しようというこの試みの可能性を明らかにするために、やはりここでも中沢啓治の『はだしのゲン』を比較項として召喚しよう。たとえば、ゲンが川に浮かぶ死体を目撃する場面では、死体の腹に溜まったガスが「ブスン」と噴き出した悪臭や、浮かんだ死体が潮の流れで動く様子が生々しく描かれていた。

【図版9】ゲンが川に浮かんだ死体を目にする場面。
『はだしのゲン』第2巻、1975年。

これ以上の詳しい比較は先行研究に譲るが、たとえば、「『はだしのゲン』が、劇画表現の写実性と記号性を限界まで駆使することで、被爆直後の光景の凄惨さを執拗に表現しようとしたこととの落差は、印象的である」という指摘がある。(15) あるいは、受容者は「その対極に『はだしのゲン』的表現を想定している場合が多い」などと言われるように、『はだしのゲン』とは異なる方法で惨状を描いたことが、「さりげなさ」の評価に影響していることは間違いないだ

ろう。(16)

ここまで、「さりげなさ」の要因を漫画表現の中に見出してきたが、考えられる要因はそれだけではない。表現や物語性といった、いわば作品に内在的な要因とは別に、作者や編集者の意図、あるいは掲載誌が漫画雑誌界に占める位置、といった外在的要因についても考察の余地が残されている。

青年誌というメディア、表現の自主規制

「さりげなさ」の外在的要因としてまず考えられるのは、『Weekly漫画アクション』というメディアの特性である。

芳文社の『コミックmagazine』（一九六六年六月創刊）に続き、国内で二番目の青年漫画誌として創刊された双葉社の『Weekly漫画アクション』（一九六七年八月創刊）は、劇画ブームの旗手として『ルパン三世』や『子連れ狼』といったヒット作を生む一方、近年では『クレヨンしんちゃん』（二〇〇〇年から双葉社の『まんがタウン』へと掲載紙が移行）など、読者対象を青年に限らない漫画も掲載し、幅広い誌面構成を持ち味としていた。青年漫画誌は少年誌に比べれば読者も少なく、また、主な対象読者が青年男性であるため、少年読者を意識しないですむ。このようなメディアでは、ある程度実験的な作品を載せることが可能だった。

「さりげなさ」を準備した外在的要因としては、表現の自主規制の問題を挙げることもできる。こうの史代は『夕凪の街 桜の国』執筆中に意識したことを次のように述べていた。

『はだしのゲン』というマンガは有名ですが、その後、原爆を扱ったマンガは非常に少ない。差別表現に対する規制が非常に強くなって、マンガ家自身がこういうテーマを扱わなくなったからだと思います。文句や抗議を受ける前に自粛してしまうような、そういう風潮が長く続いていました。

それで私は、なるべくそういう規制に引っかかりにくい、マンガを読み込まないとわからないようなつくりにしようと考えました。(17)

こうのが言う「差別表現に対する規制」がどの程度のものであったかは定かでないが、「自主規制」の風潮を意識して「マンガを読み込まないとわからないようなつくりにしようと考えました」という証言は本章にとって重要である。なぜなら、こうのが言うように、『はだしのゲン』が発表された一九七〇年代前半と、漫画『夕凪』が発表された二〇〇〇年代半ばとでは、創作表現をとりまく社会の在り方に大きな違いがあると考えられるからだ。

一九九〇年前後は、あらゆる表現に対して自粛のムードが高まった時代だった。一九八八年から一九八九年にかけて、児童向けの絵本『ちびくろサンボ』の黒人描写が差別と偏見を助長するという批判を受け、講談社、小学館、学習研究社、岩波書店など全一一社が同絵本を絶版にした。[18]一九九〇年一二月には、講談社から刊行中だった『手塚治虫マンガ全集』の黒人描写が問題となり、一時的に出荷停止という措置がとられた。[19]また、同年六月には、和歌山県田辺市の主婦たちが漫画の露骨な性表現に反対する署名運動を始め、これを受けた田辺市が出版社に対して販売自粛を求めるという動きも起こっていた。[20]さらに一九九三年、筒井康隆の短編小説「無人警察」(一九六五年)が国語教科書に掲載されるにあたって、作中で癲癇の症状を持つ人間の描写が「差別的」であると問題になった。これを受けて筒井自身が「断筆宣言」をおこなったことにより、教科書という教育メディアの問題を越え、いわゆる「差別語」についての議論が高まりをみせた。

このように一九九〇年前後には何らかの偏見を助長するような表現に社会的関心が集まっていた。表現者や編集者だけでなく受容者もまた、程度の甚だしい表現に敏感にならざるを得なかったのである。こうの史代が意識した「差別表現に対する規制」はこのような状況から生み出されたものであった。原爆もまた、社会的政治的関心が集まりがちなテーマである。したがって、こうのは、被爆者への偏見を助長する(と見なされる可能性がある)ような、たとえば被爆者の火傷の跡や晩発性放射線障害、放射線の遺伝的影響などをあからさまに表現することを回避しつつ、被爆者と被爆二世の生活を描かねばならなかった。

現代的原爆漫画として称揚された漫画『夕凪』の「さりげなさ」が成立する背景には、現代における原爆の「扱いにくさ」が存在していたのである。

映画『夕凪の街 桜の国』の「リアリティ」

映画『夕凪の街 桜の国』は、監督の佐々部清が二〇〇五年から制作に取り掛かり、二〇〇七年に公開された。佐々部清は一九五八年生まれ、映画『ホタル』の助監督などを経て、監督として『チルソクの夏』(二〇〇四年)、『カーテンコール』(二〇〇五年)を撮り、二〇〇六年には回天特別特攻隊の映画『出口のない海』を手掛けている。

映画『夕凪』は、二〇〇七年度キネマ旬報ベストテン第九位、読者選出日本映画第四位に格付けされ、二〇〇七年度日本映画批評家大賞作品賞を受賞した。[21] 原作との明らかな違いとしては、原作では一九五五年だった「夕凪の街」の時代設定が一九五八年に変更されたこと、原作の三部構成が映画では「桜の国(一)」と「桜の国(二)」をひとつにした二部構成になっていることが挙げられる。

では、この映画のどのような点が評価され、観客はそこに何を読み込んだのだろうか。漫画の場合と同じく、まずは同時代評から受容傾向を探ってみよう。

声高に被爆の苦しみ、怒りを訴えるのではない。登場人物の生活を丹念に描くことで、途切れることのない深い哀しみと追い打ちをかける被爆者差別をも映し出していく。(中略)原爆症による苦しみや被爆者差別の醜い実態、原爆投下時の地獄絵図などはオブラートに包んだ。[22]

この作品は、原爆という重いテーマをとりあつかいながらも、非常にソフトな仕上がりになっており、じんわりと生きることの喜びを確認するというものになっているが、後半、七波が自分の家族のルーツを知ることで、彼女の中で何がどう変わっていったのかが、かならずしも十分に伝えられていないようにも思える。(23)

一番の魅力はこれまでの佐々部作品のカラー同様に何気ない日常の中から〝声高でなく〟メッセージが伝わってくるところだろう。(24)

原爆の子であることに積極的な意義を感じとろうとする七波の表情を佐々部清はきっちり正確にとらえて終わりにしている。新藤兼人の「原爆の子」以来、少なからず作られてきた反核の被爆者映画の中でも、これは新しい視点であるといえる。(25)

「声高に被爆の苦しみ、怒りを訴えるのではない」「何気ない日常」という評価が共通している。他方で、ふたつ目に挙げた引用文に「後半、七波が自分の家族のルーツを知ることで、彼女の中で何がどう変わっていったのかが、かならずしも十分に伝えられていないようにも思える」という評価があるように、「桜の国」のパートについて、掘り下げが不十分だという指摘も存在していた。

この点については後に検討するが、それを除けば、映画の評価は原作漫画とほとんど変わるところがないと言ってよいだろう。映画『夕凪』が原作の忠実な映画化作品として受容されたと、とりあえずは言えそうである。

漫画の場合、原爆をテーマにしたものは『はだしのゲン』が突出しており、以降の作品は少ない。しかし、「原爆映画」にはそれなりの蓄積があり、参照項は多岐にわたる。次節では比較的近年の原爆映画と比較することで、映画『夕凪』の現代性と、原爆映画が不可避に抱える問題点について考察する。

「原爆映画」の系譜から

ジャンルとは「同一の物語世界からなる指向対象を設定し、そこで〝典型的な〟場面を反復することによって、作品から作品へと本当らしさを強化してゆく」ものだとするならば、原爆投下を主題とした映画群の総称は「原爆映画」というひとつのジャンルを形成していると言える。[26] ただし、アジア・太平洋戦争と広島・長崎への原爆投下の関係ほどには、戦争映画と「原爆映画」の関係は密接ではない。なぜなら、スペクタクルが求められがちな戦争映画と異なり、「原爆映画」は被爆の悲惨をどのように表現するのかという問題が焦点化せざるを得ないからである。

では、従来の「原爆映画」は投下直後の広島と長崎をどのように撮ってきたのだろうか。原爆投下シーンと投下直後を回想するシーンに限って、映画『夕凪の街 桜の国』と近年の原爆映画とを比較してみよう。

まず、映画『夕凪の街 桜の国』の場合をみてみよう。この作品は原爆投下直後の様子を、一面の焼け野原となった広島市内のモノクロ写真と被爆者が描いた絵を挿入することで表現している。被爆者の絵以外にも、展示ケースに入った焼け焦げた弁当箱、三輪車など、平和資料館の展示品が映されている。「皆実」のフラッシュバックとして、焼け野原を模したセットを歩く姉妹の映像が挿入されているものの、セットを組んでそれを壊したり、特殊メイクで血や傷を生々しく再現したりする手法は取られていない。

では、近年の原爆映画では、どのように原爆投下直後を表現していたのだろうか。

新藤兼人『さくら隊散る』(一九八八年)では、時計の針が八時一五分を指すと同時に閃光が走り、瓦礫の下敷きになった者を血まみれになりながら助け出す青年や黒い雨に打たれる被爆者が約二分間にわたって映されていた。なお、新藤は一九一二年生まれ。一九四四年三月に召集され海軍二等水兵となった後、奈良で予科練航空隊の身の回りの世話をした経験を持ち、宝塚では空襲を体験している。(27)

黒木和雄『TOMORROW 明日』(一九八八年)では、映画の最後で長崎に原爆が投下され、キノコ雲が立ち昇る様子が俯瞰されていた。監督の黒木和雄は一九三〇年生まれ。幼少期を旧満州で過ごし、一九四二年に宮崎に戻った。戦場体験はないが、工場動員、空襲を経験している。(28)

すでに本章で言及した今村昌平『黒い雨』（一九八九年）の場合はどうだろうか。一瞬の閃光の後、爆風で軍用列車の乗客たちが被爆する様子が再現されている。火傷、裂傷、目が飛び出る人などは特殊メイクで表現されていたが、モノクロ映画ということもあり、生々しさは抑制され、そのことが高く評価された。監督の今村昌平は一九二六年生まれ。長兄を戦争で亡くし、空襲も体験している。(29)

黒澤明『八月の狂詩曲』（一九九一年）では、原爆投下直後の惨状は再現されていない。主人公の老女が原爆を思い出しながら長崎の空を眺めるシーンでは、キノコ雲が立ち昇った後の空に巨大な目が合成されている。空襲を受けた際、空から巨大な目に見つめられているように感じたという黒澤自身の感覚が非リアリスティックな手法で表現されていた。黒澤明は一九一〇年生まれ、徴兵された経験はない。

吉田喜重『鏡の女たち』（二〇〇二年）は、第5章でもふれたように、再現という手法は回想という形式においてさえも選ばれない。その代わりに吉田が映すのは、平和資料館の展示パネル（被爆者のモノクロ写真を拡大したもの）である。吉田喜重は一九三三年生まれ。福井が空襲を受けた際、生家が消失し、火の中をさまよった経験を持っている。(30)

黒木和雄『父と暮せば』（二〇〇四年）では、原爆投下直後のモノクロ写真と丸木位里の「原爆の図」が挿入されている。絵画を挿入している点、生き残ってしまった自分が幸せになっては死んだ者に申し訳ないと感じる女性が主人公である点など、映画『夕凪』の前半部「夕凪の街」と共通点が多い。ただ、閃光、爆風、キノコ雲の俯瞰図をCGで描く手法は、映画『夕凪』にみられないものである。

以上、近年の原爆映画とその投下直後の表現、監督の背景を極めて簡潔に振り返ってみた。これらを比較することで、以下のふたつの特徴が析出できるだろう。

一点目は、監督の世代差である。佐々部清以外の全ての監督が何らかのかたちで戦争を体験し、それを思い出として持っている。彼らは被爆体験を持たないが、工場動員や空襲で戦争を体験していた。一九五八年生まれの佐々部には当然ながらその経験がない。

二点目は、投下直後のリアルな再現が抑制あるいは回避される傾向である。『黒い雨』がリアルな再現を目指していたことはすでに述べたが、それもモノクロのフィルムによって抑制されていた。こうした抑制や回避は、作り手側の過去への誠実さの表れだと言えるかもしれない。映画『夕凪の街 桜の国』では、被爆者の絵や、平和資料館の展示物を映画に挿入するという手法をとっていた。その意図について、監督の佐々部清は次のように述べている。

一つには、リアルに再現するための経費と時間の問題があります。今回は、美術予算をあのバラックの再現に使いたかったし、どこかで見たようなCGをつかったリアルな焼け焦げの人々というのは、テレビドラマや記録映画で見た記憶があるし、作ってもどうせ作りものですよね。それで、何がいいかなぁと思っていたときに、原爆資料館で展示されている絵を見たら動けなくなっちゃいました。[31]

収支のバランスを意識せざるを得ない映画製作において、「経費と時間」のかかるリアルな再現は現実的ではなかった。その一方で、佐々部には未曽有の惨事を「作りもの」として虚構化することへのためらいがあり、被爆者の絵が鑑賞者に感じさせる一種の畏怖の念を受容者のなかに甦らせようとしたということなのだろう。「経費と時間」への配慮と「作りもの」へのためらい、この双方からの要請によって、被爆遺品や被爆遺構、被爆者による絵画が映画に召喚されたのである。

被爆地蔵の「リアリティ」

映画における「リアリティ」は、映像技術から物語の題材や構造、俳優の演技にいたるまで、様々な要素によって成立しているが、ここでは被爆遺品・遺構に注目することで原爆映画というジャンルを考察したい。

被爆遺品・遺構はいずれも原爆投下という惨状を潜り抜けた「証人」であるが、かつてそれらはただの廃品や廃墟に過ぎなかった。実際、広島、長崎の戦後復興の中で、それらの多くは捨て去られ、取り壊されていたのである。日本の科学者や占領軍は、原爆の威力や残留放射線を調べるため、組織的に被爆遺品・遺構などを収集していたが、それとて科学的学術的調査の域を出るものではなく、当然ながら展示のための作業ではなかった。[32] 占領終結後、平和資料館に展示された被爆遺品・遺構は、そのほとんどが市民による個人的収集品だったのである。

資料館内の被爆遺品・遺構は展示に沿った文脈に位置づけられているため、現代の私たちの目には、被爆遺品・遺構が廃品・廃墟として映ることはない。資料館に入る前から、既にそこにあるものが保存すべきもの、語り継ぐべきものだと信じ込んでいる。「被爆遺品・遺構＝投下直後の惨状を保証するもの」という回路が、教育やメディアによってくり返し補強されているからだ。だが、私たちが強固に内面化しているこの回路は決して自明のものではない。むしろ極めて曖昧なものである。その曖昧さを体現し、出来事の真正さを担保する被爆遺品・遺構と、それらを受容する私たちとの関係を考察する手がかりが、映画『夕凪の街 桜の国』にはある。それは被爆地蔵である。

映画『夕凪の街 桜の国』は、太田川沿いの被爆地蔵を、登場人物たちを見守る存在としてたびたび映し出している。「夕凪の街」で「皆実」が息を引き取るのは被爆地蔵の前だし、「桜の国」で「旭」と「打越」が再会するのも、回想シーンのなかで「旭」が「京花」に求婚するのも、被爆地蔵の前である。このように重要な役割を果たす被爆地蔵は、映画が映す原爆ドームや、平和資料館内に展示された被爆遺品・遺構とは異なり、実在するものではない。被爆地蔵（被爆地蔵尊）と呼ばれる地蔵像は広島市中区大手町の爆心地付近に実在するが、映画とは姿も場所も異なる。つまり、映画のなかの被曝地蔵は、映画用に作られたセットなのである。前節でみたように、監督の佐々部は投下直後の惨状を「作りもの」として虚構化することへのためらいを表明していたが、原爆ドー

【図版 10】「夕凪の街」パートの被爆地蔵。

【図版 11】「桜の国」パートでの被爆地蔵。

ムや被爆者の絵と並置された被爆地蔵は「作りもの」である。

しかし、基町の太田川周辺を実際に散策したことがない者は、セットの被爆地蔵に、原爆ドームや平和資料館の展示物と同様の真正さを感じてしまうのではないだろうか。観客は、フィルム上で広島を歩き回る登場人物たちの肩越しに、原爆ドーム、平和資料館、広島市の景観を見ることで、実在する現代の広島を追体験したかのような気にさせられる。

「本物」だと思い込んでいた被爆地蔵がセットであるとわかったとき、それではフィルム上の原爆ドームや平和資料館の展示物は本当に「本物」なのかという、何やら悪夢めいた疑問が浮上する。もちろん、映画の中の原爆ドームがセットであるはずはないのだが、それでもセットの被爆地蔵に対して感じた違和感は消えない。

セットの被爆地蔵に違和感を持ってしまうこと。このような事態は漫画における描線表現からは生まれ得ない。このことは逆説的に、原爆映画が「被爆遺品・遺構＝投下直後の惨状を保証するもの」という受容者側の回路に依存していることを示している。

セットの被爆地蔵は、製作者たちの意図がどのようなものであるにせよ、映画にとって必要な雰囲気を作るためならば被爆遺構の捏造も辞さないという意味で優れて現代的な一面を持っていると言えるのかもしれない。本章はそれを否定したいのではなく、受容者がしばしば前提にしている認識を相対化する契機が、この映画には含まれていると指摘したいのである。

メディアの移行にみる継承と断絶

これまで、『夕凪の街 桜の国』の原作と映画を、内在的、外在的に分析することで、それぞれのメディアの特質を浮き彫りにしてきた。ここでは、視点を変え、現代における被爆の語りを考えるための手がかりを、『夕凪の街 桜の国』から引き出してみたい。

漫画『夕凪』からみていこう。「桜の国（二）」のパートには、原爆の記憶の継承という主題が明確に埋め込まれていると考えられる。

浜と吉村が指摘しているように（本章注2を参照）、「桜の国（二）」には「夕凪の街」からの連続性を思わせる表現が散在している。例えば、広島を訪れた「七波」が「平野家之墓」を見上げるコマは、「夕凪の街」で「皆実」が原爆ドームを見上げるコマと同じ構図、表情で描かれている。また、「桜の国」で繰り返し背景に描かれる陸橋とドーム型の給水塔は、それぞれ「夕凪の街」の平和大橋と原爆ドームを連想させることで、「夕凪の街」との連続性を強調する効果を持っている。加えて、「七波」の母で被爆者の「京花」と、疎開して被爆を免れた「旭」との結婚のエピソードは、七波の弟「凪生」と友人の「東子」の恋愛というかたちで、それに反対する親族の存在も含めて、繰り返される。

なかでも「夕凪の街」からの連続性が顕著に表れているのは、「桜の国（二）」のラストシーンであろう。「七波」は「そして確かに／このふたりを選んで／生まれてこようと／決めたのだ」と、自らの出生を受け入れ、それを受けた父の「旭」は、「今年は父さんの、いちばんあとまで／生きてた姉ちゃんの／五〇回忌でな」「それで姉ちゃんの／知りあいに会って／昔話を聞かせて／貰ってたんだよ」「七波はその／姉ちゃんに／似ている気が／するよ」と語り、継承の完了を認可するのである。では、この継承のテーマは、映画化によってどのように変質したのだろうか。

「桜の国」のラストシーンの比較から

「桜の国」の最後の場面では、薄れていく意識を示す真っ白なコマに「皆実」のモノローグが書き込まれている。一連のモノローグのなかで、最も強い印象を与えるのが、「嬉しい?」「十年経ったけど／原爆を落とした人はわたしを見て／「やった！またひとり殺せた」／とちゃんと思うてくる?」という諦念と怨念が入り混じった最期の言葉である。

「アメリカ」と名指されずに「原爆を落とした人」と婉曲的に表現されていることからは、先にみた「さりげなさ」にもつながる政治性との距離感を指摘できるだろう。この後、漫画単行本では、コマの割り振りさえもない全くの白紙のページを迎える（図版12）。作者のこうの史代が単行本のあとがきで「このオチのない物語は、三五頁で貴方の心に湧いたものによって、はじめて完結するものです」と述べているように、怨念と諦念が混ざり合った心情は、あえて宙吊りのまま留め置かれ、読者の前に提示されている。(33)

さて、ここでひとつ疑問が残る。最後のふたつのコマには、川辺に座る「打越」の左に「このお話は／まだ終わりません」と書かれ、さらにその下のコマには「何度夕凪が／終わっても、終わっていません」と書きこまれているのだが、いったいこの言葉を話しているのは誰なのだろうか?

同頁の上段のコマにある「ひどいなあ／てっきりわたしは／死なずにすんだ人／かと思ったのに」「ああ風……／夕凪が終わっ／たんかねえ」というモノローグは、前頁からの流れと「わたし」

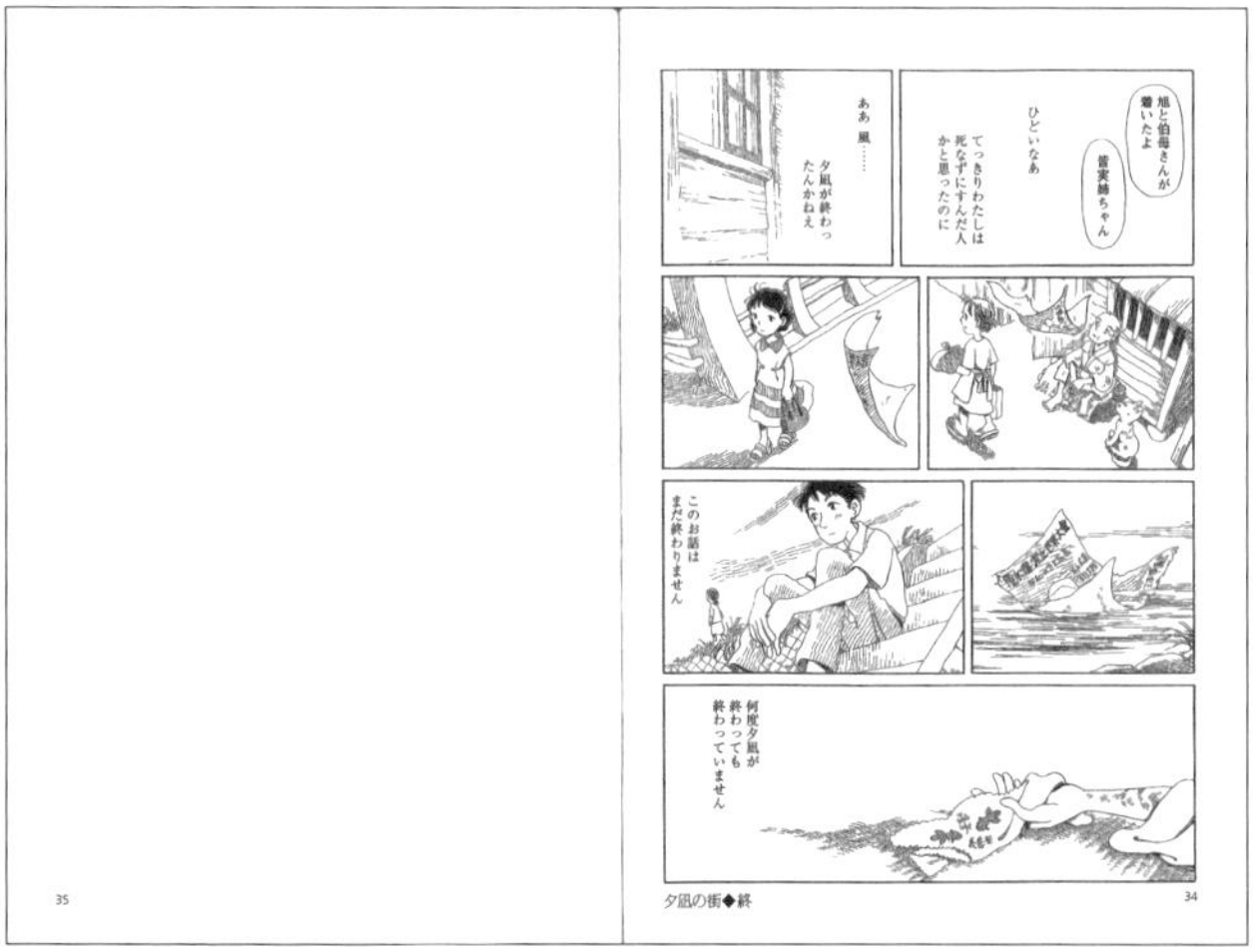

【図版 12】「夕凪の街」の最後の頁。

という言葉から、その話者が「皆実」だと判断できる。

しかし、三つのコマを挟んだ後の「このお話は／まだ終わりません」以下の言葉を「皆実」の言葉だと判断するのは困難である。なぜなら、それ以前のモノローグは床に臥せる「皆実」の主観的な視界が描かれたコマに添えられていたのに対し、「このお話は／まだ終わりません」以下の言葉は、床に投げ出された「皆実」の腕という客観的描写のコマに添えられているためだ。

漫画『夕凪』のコマに書かれたモノローグ調の文章のなかで、打ち消しの助動詞「ん」で終わる文章は最後のふたつのコマにしか確認できないものであり、その点でもこの言葉は異質である。さらに、それが繰り返されることにより、終わらせまいという話者の意図を読者が理解できるようになっている。広島弁ではなく標準語を思わせる語り口である点も、やはり異質性を際立たせる。だからといって話者が作者こうの史代だと断言するには、あまりにも証拠不十分である。では、「このお話は／まだ終わりません」と話しているのは誰なのか？　実は、それを特定できないことにこそ、コマの中に任意に文章を配置できる漫画表現の特質があるのだと言える。「このお話は／まだ終わりません」という言葉の話者を特定できないがゆえに、白紙のページに投げ出された「皆実」の怨念と諦念が読者の前に提示されたように感じられるのである。

一方、映画版では、「夕凪の街」から「桜の国」への移行に際して、「何度夕凪が終わってもこのお話はまだ終わりません」というモノローグが、「皆実」を演じる麻生久美子の声に始まり、途中から「七波」を演じる田中麗奈の声に変わるよう演出されている。漫画表現を忠実に映画化するのであれば、性別さえ明らかでないような声による無味乾燥なナレーションを挿入すべきだが、それでは極めてバランスの悪い不格好な映画になりかねない。したがって、モノローグが「皆実」から「七波」へと文字通り語り継がれるという演出は、ふたつのパートをつなぐという意味では自然な演出であると同時に、「ひたむきな生の継承」という主題を強調するための演出であったとも言える。

しかし、映画版の演出に高い評価を与えたとしても、話は終わらない。モノローグを語り継ぐという演出を採用した映画版が、原作漫画における「皆実」の怨念と諦念を、滑らかな語りの中に流し去ってしまっているのではないか――この問題がまだ残っているからである。

漫画から映画へのアダプテーションは、同一のフレーズが物語内で有する効果に変更をもたらした。そもそも、漫画の場合は、受容者自身が目の動きやページをめくる手の動きを調節でき、任意のページに戻って表現を確認することも容易いが、映画の場合はそうではない。基本的に受容者は映画の提示する時間にそって物語を理解せざるを得ない。また作り手の側も、映画館での上映を前提にしている以上、ある程度の分かりやすさを念頭に置かざるを得ない。

巧みに演出された継承のテーマがメディアの移行によって、映画ではさらに強調されていることが明らかになった。それならばなおのこと、『夕凪の街 桜の国』という作品のなかで、いったい何が断絶しているのかが問題となる。以下、作者の意図や受容者の評言とは切り離し、漫画と映画の語りの構造に即して、断絶している要素を浮き彫りにしてみよう。

タイムスリップ演出と「昭和ノスタルジー」ブーム

断絶の内実を明らかにするため、現代を生きる「七波」がタイムスリップさながらに一九六〇年代の「原爆スラム」に入り込み、若き日の両親の恋を見守るというシーンを分析したい。このシーンは、時空を超えて親子が繋がり、現代東京の陸橋とドーム型の給水塔が、それぞれ平和大橋と原爆ドームに重なり、祖母と母の死という忘れたい過去との和解、そしてそれにともなう出自の選び直しというこの映画のテーマが浮かび上がる場面である。なお、原作漫画には、「七波」が過去の中に入り込むという表現は存在しない。

「原爆スラム」にタイムスリップした「七波」は、両親の恋が成就し、結婚し、新婚生活が始まる過程を見届けるのであって、「原爆スラム」の生活状況や被爆者差別の実態を見ることもなければ、「皆実」が死ぬ間際にタイムスリップするわけでもない。

つまり、このシーンでは、原爆投下の悲惨を背負って生きる被爆者の個人的なひたむきさが継承された一方で、怨念や諦念といった心情は断絶しているのである。その結果、「七波」が出自を選び直す場面は、自分探しの物語に限りなく接近している。

もっとも、映画版も被爆者の怨念や諦念を「皆実」演じる麻生久美子に語らせてはいる。しかし、原作漫画のようにあえてそれを受容者の前に提示し、留めておくのではなく、怨念や諦念を霧散させ、その中からひたむきな生という側面を抜き出して「七波」に受け継がせようとしているようにみえる。

この点について、映画公開当時の日本社会で関心を集めていた「昭和ノスタルジー」ブームを補助線にして、さらに考察を加えたい。

「昭和ノスタルジー」ブームは、興行収入の面でも批評家からの評価の面でも成功を収めた『ALWAYS 三丁目の夕日』(二〇〇五年)をその端緒とする。(34) この映画は、安部晋三がその著書『美しい国へ』(文藝春秋、二〇〇六年)の中で言及するなど、一種の社会現象になった。過ぎ去った昭和という時代(中でも昭和三〇年代)に関心が集まったのである。この「昭和ノスタルジー」ブームが、映画『夕凪』が公開された二〇〇七年においても継続していたことの証左としては、

『ＡＬＷＡＹＳ 続・三丁目の夕日』（二〇〇七年）の公開が挙げられよう。

前章でも述べたが、この「昭和ノスタルジー」に限らず、あらゆる種類のノスタルジーが問題視されるのは、過去への視線が、現在の観察者にとって都合の良いものだけに焦点を当てがちだからである。その視線は、過去の歪曲・修正の欲望と高い親和性を持つと考えられる。

佐々部清は、「夕凪の街」の時代設定を昭和三〇年から三三年に変更したことについて、「一昨年、たくさんの人が見た『ＡＬＷＡＹＳ 三丁目の夕日』が昭和三三年の話なので、対比して見てもらえるかなとも考えたんです」と述べていた[35]。「対比」という言葉には、『ＡＬＷＡＹＳ 三丁目の夕日』との差異を強調する意図が込められているのだろう。事実、映画『夕凪』は、広島原爆をテーマにしている点、現代を舞台にした「桜の国」のパートがある点で、『ＡＬＷＡＹＳ 三丁目の夕日』に代表される「昭和ノスタルジー」メディアとしての側面は薄いようにみえる。だからといって、映画『夕凪』が「昭和ノスタルジー」を回避しているわけではない。

現代の「七波」が「原爆スラム」にタイムスリップする表現において顕著にみられたように、選択された過去のみに焦点を当て、ひたむきに生きる市井の人々を称揚している点は共通している。製作者たちの意図はどうであれ、映画『夕凪』には「昭和ノスタルジー」が刻印されているといえるだろう。

戦争の語りを紡ぐ

被爆の語りの形態は、二一世紀に入って転機を迎えている。

これまで、非体験者は小説や映画といったフィクションに加えて、体験談や体験記、被爆遺構の展示を介して被爆の語りを受容してきた。語りの場では、一九四五年の八月六日、九日が繰り返し想起され、集合的記憶が補強された。そして、その想起の真正さを担保する者として、体験者がいた。

しかしながら、被爆者の高齢化という問題は、広島原爆と長崎原爆を直接体験した者たちによる肉声の語りが、近い将来、消滅してしまうことを意味している。残されたテクストや映像、遺品から、直接体験者という準拠枠なしに、被爆の語りを想像し、編み直し、語り直さざるをえない、そういう局面が到来している。「体験者による回想」から「非体験者による（事実に基づく）想像」という変化が、この数年のあいだに急速に進んでいる。もっとも、このふたつの形態は一九四五年の夏以降、様々なメディア上で、時に混ざり合い、時に反発し合って原爆認識が形成されてきたものだ。しかし、そのような拮抗は、もはや、ほとんど成立しない。このことは、広く「戦争の語り」という問題を設定したときにも、同様に指摘できるだろう。

「戦争の語り」を編み直し、語り直すこと。この喫緊の課題は、何を語り継ぎ、何を語り継がないかという「選択と排除」の論理に流れ落ちてしまう危うさを常にはらんでいる。限られた問題しか扱えなかった本章も、その危うさと無縁ではない。未曾有の惨劇を語り継ぐには、埋もれてしまった一人ひとりの声や証言を回復し、受容者がその総体を具体的に想像する作業が不可欠なのだろう。しかし、製品化されたメディア文化は本章で確認したような様々な制約のなかで特定の側面を切り取らざるをえない。だからこそ、製品化されたメディア文化を基にして、もし「七波」が病床の「皆実」のもとにタイムスリップし、その最期の言葉を聞いたとしたら、この映画はどのような結末を迎えたのか？　あるいは、「七波」が「原爆スラム」を背にして立つのでなく、振り向いて「原爆スラム」の住人たちを見つめていたら、そこで何を思ったのかを想像してみることは、決して無駄な空想ではないはずだ。メディア文化を享受する現代の私たちは、特定の作品を踏み越えて過去の現場にタイムスリップし、現在の心地よさを補強しようとする前に、その作品を手がかりにして私たちが寄って立っている「いま・ここ」を確かめたほうがよい。本章が提示した『夕凪の街　桜の国』の分析は、その確認作業のほんのささやかな手始めに過ぎない。

おわりに　過去の作品を読むことの意味

アジア・太平洋戦争と日本の戦後社会とをめぐる研究は、この二〇年から三〇年のあいだで、あらたな潮流が定着したと言える。福間良明らによる戦争体験論・戦跡論、渡邊勉や野上元らによる歴史計量社会学の試み。井上義和らの継承のあり方をめぐる新解釈。佐藤文香らによる女性兵士という問題系を把握しようとする議論なども登場している。西村明や粟津健太らによる慰霊論も挙げられよう。ここに挙げたのは一例にすぎず、人文学・人文科学の領域では、闇市研究から戦争体験者のライフヒストリー研究・移動研究に至るまで、新たな研究が生まれている。またこうした研究動向と並行して、史料発掘や史資料の読み直しも進んでいる。

これらの動向に比べると、戦後に発表された戦争に関わる作品を取り上げた本書の議論は、昔ながらの作品評論にみえるかもしれない。筆者がこうしたスタイルを選んだのには、ふたつの理由がある。第一に、メディア文化作品を製作者と受容者の思想的実践として読みたいと考えるからである。第二に、メディア文化作品の「社会的機能」を重視したいからである。第一の理由は、評論の役割であり贅言を要さないが、第二の理由については若干の説明を付しておきたい。

かつて鶴見俊輔は、新左翼諸党派間の「内ゲバ」を論じるなかで、「反射感覚」の重要性を強調していた。鶴見は、ある種の原理・原則だけで状況を捉え、間違っている相手に肉体的な制裁を加えるものとしてリンチを定義したうえで、リンチを生む原理・原則へのこだわりを相対化するためには、「日常の反射」が必要だと述べた。

> 火のそばに手を持っていけば熱いから手を引っ込める。大体赤ん坊にはそのようにして火のこわさを教えている。それが人間の思想の根本だと私は思う。そんなものは思想じゃないという考え方を私はとらない。そういう反射が思想の最も重大なもとになるという気がする。(1)

鶴見はまず、赤ん坊を例に挙げて「反射」を説明し、そこに「人間の思想の根本」を見ている。では、なぜ「反射」を思想と呼べるのか。本能ではなく思想だと鶴見が述べる理由はどこにあるだろうか。それを説明するために鶴見が挙げる例は、「なぜイギリスではナチズムが定着しなかったのか」という問いに対する、ジョージ・オーウェルの考察である。イギリス・ファシスト党のある人物が、ナチス式の行進を若い支持者に行わせようとしたが、その試みは結局定着しなかったというオーウェルの話を紹介したあと、鶴見は次のように続ける。

若い人を集めてこうやって道を歩かせるのは、イギリス人の普通のユーモアの感覚からいっても、おかしくておかしくて笑い者にされそうだ。だからできなかった。みんなが一列になって狂信者の集団として歩いていくということは、あほらしいことなんじゃないだろうかという疑いが反射としてあるような社会においては、なかなかそういう狂信者の集団、ファシズムとかナチズムみたいなのは生れにくい。

だからマンガとか大衆芸術の問題というのは、結局そういうことにかかわってくる。(2)

筆者はファシズムやナチズムの専門家ではないため、鶴見の理解が歴史的・思想的に正確かどうかは判断できないが、このような鶴見の発想に惹かれてしまうところがある。鶴見は、感覚的なものとして捉えられがちな「反射」を、集団に共有された「思想」と読み替えて理解する可能性を提示している。そして、最後の一文にあるように、「反射」は、集団においては「マンガとか大衆芸術」と関係しているというのが鶴見の主張だった。そこには、「日常の思想」の重要性をうったえ続けた鶴見の問題意識が、わかりやすく表れていると言えるだろう。

鶴見は「マンガとか大衆芸術」と大掴みに指示しているが、本書があつかった映画やアニメーション、戯曲や小説もまた「反射」の土壌である。私たちは、こうしたメディア文化作品に日常的に触れている。人や集団によって関心の強弱は異なるが、現代社会を生きるうえでメディア文化作品から逃れるのは難しく、メディア文化作品の影響力をまったく無視するわけにもいかないのである。

そうしたメディア文化作品を日常的に受け止め、感想を言い合っている私たちは、鶴見が言うところの「反射」神経を鍛えている――メディア文化作品の「社会的機能」というのは、そのような意味である。

もちろん、「反射」の様態は多様であり、受容者集団も細分化されているため、特定の作品を取り上げて「この作品を受け止めた人びとはみな次のような思想を培養している」と言うことは出来ないし、読者論をやりたいわけでもない。それでも、メディア文化作品を理解する道筋は、細くて途切れ途切れではあるが、確かに存在している。

ながながと説明してきたが、メディア文化作品の思想性と社会的機能をともに意識しながら、本書は書かれた。ありていに言えば、本書は、現在にある過去としての「残されたもの」を手がかりにして、筆者が自身の歴史意識を見つめ直し、微修正し、これからまた変わっていくためのノートでもある。

本書が注目した異形や亡霊、回帰する記憶、認識のねじれ・ゆがみ、共感のテクノロジーなどは、「残されたモノ」をよく見るための「眼鏡」のようなものだった。きっと他にも多様な「眼鏡」があるだろう。そうやって「残されたモノ」と出会い、向き合ったとして、現代を生きる私たちは何を「残す」ことができるのか。過去と決別する方法ではなく、過去に埋没する方法でもない、過去との緊張とともに生きる方法——本書がその方法を試行錯誤のための手がかりなることを願っている。

註

はじめに

（1）ここで「歴史意識」という言葉を使用したのは、橋川文三を意識してのことである。橋川は自らの戦争体験論を練り上げる過程で、人間の根本的な意識形態に注目し、それを「歴史意識」と「責任意識」という言葉で整理した。橋川は、「歴史意識」と「責任意識」こそが、歴史過程への主体的関与の自覚を生むと考えていた。では、「歴史意識」と「責任意識」とは何を指すのか。橋川によれば、「歴史意識」とは、「「歴史学」はもとより、「歴史的認識」「歴史的思考」「歴史的態度」「歴史的立場」等々とよばれるすべてのものの根底にあって、それらと関連しながらも、基本的にはそれらと異なる一種の精神的能力のことである」と説明している。橋川文三「歴史意識の問題」『近代日本思想史講座』筑摩書房、一九五九年。引用は『橋川文三著作集4』筑摩書房、一九八五年、五―六頁。

（2）竹内好「戦争体験の一般化について」『文学』一九六一年一二月号。引用は『竹内好全集』第八巻、筑摩書房、一九八〇年、二二五頁。

（3）前掲書、二二七頁。

（4）小倉康嗣「非被爆者にとっての〈原爆という経験〉――広島市立基町高校「原爆の絵」の取り組みから」『日本オーラル・ヒストリー研究』第一四号。

（5）井上義和『特攻文学論』創元社、二〇二一年。および、井上義和「記憶の継承から遺志の継承へ――知覧巡礼の活入れ効果に着目して」福間良明・山口誠編『「知覧」の誕生――特攻の記憶はいかに創られてきたのか』柏書房、二〇一五年。

第1章

（1）『読売新聞』一九四七年四月一〇日、二頁。

（2）本岡拓哉『「不法」なる空間にいきる――占拠と立ち退きをめぐる戦後都市史』（大月書店、二〇一九年）や、西井麻里奈『広島 復興の戦後史――廃墟からの「声」と都市』（人文書院、二〇二〇年）が挙げられる。

（3）植野真澄「戦後日本の傷痍軍人問題――占領期の傷痍軍人援護をめぐって」（『民衆史研究』第七一号、二〇〇六年）、および植野が参照している、田中伸尚・田中宏・波田永美『遺族と戦後』（岩波書店、一九九五年）。

（4）その後、戦場で負傷し、身体が不自由になった元兵士たちへの補償は、基本的に身体障碍者対策として進められた。一九四九年に、国立身体障害者更生指導所法と身体障害者福祉法が公布され、該当する元兵士たちへの公的支援の枠組みが整えられた。なお、「基本的に」と書いたのは、一九四八年一二月に、国立病院に入院中の元兵士たちに限って俸給を支給する制度がスタートしていたからである(前掲植野論文参照)。
(5)「引揚者円満に移住」『読売新聞』一九四七年五月九日、二頁。
(6)本文中の水木作品のタイトルの表記は『水木しげる漫画大全集』(講談社)に依拠した。漫画のセリフの引用は、適宜句読点を補っていることをおことわりしておく。
(7)「終戦後」『現代漫画の発見3 水木しげる作品集』青林堂、一九六九年。
(8)水木しげる『ねぼけ人生』筑摩書房、一九八六年、一二八頁。
(9)武良幸夫「武蔵野美大のころ」『ユリイカ』二〇〇五年九月号、一〇二頁。
(10)水木しげるの作家性を育てた要素といえば、境港で過ごした幼少期と戦争体験が必ず言及される。それはそれで間違いないところだろう。
両者に着目したうえで、さらに戦後経験にも関心を寄せた水木研究としては、本間光徳「水木しげるの戦い――戦争観と天皇観の超克」(『日本研究センター教育研究年報』第八号)を挙げることができる。本間の研究からは、本稿も大きな刺激を受けた。

また、水木の戦争体験については、野上元「水木しげる――ある帰還兵士の経験」(栗原彬・吉見俊哉編『ひとびとの精神史 第1巻 敗戦と占領 1940年代』岩波書店、二〇一五年)、四方田犬彦「戦中派水木しげる」(『ユリイカ』二〇〇五年九月号)や足立倫行『妖怪と歩く――評伝・水木しげる』(文藝春秋、一九九四年)など、重要な議論が存在し、本稿も適宜両者の議論を参照する。とりわけ、野上と四方田の水木論は、戦争にかかわる水木の漫画に関してほとんどすべての論点を包括する出色のものである。なお、四方田は水木しげると奥崎謙三を並べて、「この隻腕の漫画家を、原一男の『ゆきゆきて、神軍』(一九八七年)に描かれている「神軍二等兵」奥崎謙三の隣人として考えることである」と述べ、戦後民衆思想史の脈流の存在を示唆している。本章ではこの点を深めることができなかったが、今後の課題として記しておきたい。

戦争体験だけでなく、水木の戦後体験もまた、水木の作品を読み解くカギになっている。先述の野上論もまた、戦後を生き抜いた帰還兵士としての水木に注目しているが、紙幅の都合からか、戦後の貧困経験が貸本漫画作品にどのような影を落としたのかについて分析はなされていない。生活のために忙しく働いていた戦後の水木の経験が、貸本版の鬼太郎シリーズに描きこまれていたということは、平林重雄『水木しげると鬼太郎変遷史』（ＹＭブックス、二〇〇七年）でも強調されている。また、『怪談かえり船』（東考社、一九六四年）を論じた吉備能人は「戦地に赴く前につよく願った画家や博物学者ではなく傷痍軍人として、あるいは零細な紙芝居や貸本マンガの制作者として歩まざるをえなかったみずからの不遇への、痛憤と怒気の質量」という言葉で、戦後長く続いた水木の不遇時代に注目している（「青葉の笛——水木しげるの原郷」『貸本マンガ史研究』通巻二六号）。

さらに荒俣宏は、水木の功績として、妖怪を親しみやすい仲間として再定義したと述べる（『妖怪少年の日々——アラマタ自伝』ＫＡＤＯＫＡＷＡ、二〇二一年）。また、荒俣は水木の出征前日記の分析を通して、読書青年としての水木像を浮き彫りにし、一九四〇年代初頭の青年たちの類型のなかに水木を位置づけている。

（11）水木の自伝漫画と『ほんまにオレはアホやろか』（ポプラ社、一九七八年）、および『水木しげる大全集』の「総索引／年譜他」の巻（水木しげる漫画大全集編集委員会編、講談社、二〇一九年）参照。

（12）水木しげる『水木しげるのラバウル戦記』筑摩書房、一九九七年、四八頁。

（13）「歩兵第２２９連隊行動概要」（アジア歴史資料センターのｗｅｂサイトにて閲覧）によれば、水木が負傷したあとの一九四四年一〇月五日、成瀬少佐が指揮する二五〇名が、ズンケンの警備に任ぜられている。この部隊は、一九四五年三月初旬にオーストラリア軍との激しい戦闘を行った。部隊はほぼ全滅したが若干の生存者がいた。しかし、生き残った士官二名は自決を迫られ、他の兵士たちは次の戦闘で戦って死ぬよう強要された。この経緯を知った水木は、一部フィクションを交えつつ、『総員玉砕せよ——聖ジョージ岬・哀歌』（講談社、一九七三年）を執筆した。

（14）このときの水木に「戦争を描き残す」という意識がどれほどあったのかはわからない。『水木しげるのラバウル戦記』に収録された当時のスケッチからは、ゆっくりと絵を描くことのできる喜びが伝わってくるようだ。そして、現地人を描いたスケッチが多く、そのなかでもモデルが正面を向いている構図が目立つことから、水木が現地人のコミュニティに信頼されていただろうと推察できる。

（15）小坂恵敬「無縁・有縁・縁を訳すコンテキスト——パプアニューギニア・トーライ社会を対象に」『国立民族学博物館研究報告』第四三巻第二号。

（16）A.L. Epstein, *In the Midst of Life: Affect and Ideation in the World of the Tolai*, University of California Press, 1992, pp. 41-43.

(17) 水木しげる『水木しげるのラバウル戦記』筑摩書房、一九九七年、一九六頁。
(18)「終戦後」『現代漫画の発見3　水木しげる作品集』青林堂、一九六九年。
(19) 武良幸夫「武蔵野美大のころ」『ユリイカ』二〇〇五年九月号、一〇三頁。
(20) この頃、水木は一枚絵の連続からなる「ラバウル戦記」を描き始めた。ラバウルへの出発から書き起こした「その一」から「その三」までが一九四九年から五一年までのあいだに描かれた(この部分は、『水木しげるのラバウル戦記』として刊行されている)。さらに、一枚絵に短い説明文を付した「その四」が一九五四年に描かれている。「その四」はそれまでの「ラバウル戦記」と明確に絵柄が異なるが、その変化はすでに水木が紙芝居作家として活動していたことに関係しているのだろう。水木は一九五四年に紙芝居『南十字星』という作品を発表している。つまり、一九四九年から一九五四年までのあいだに、水木は自身の体験を絵に残していたのである。発表する予定はなく、生活に苦しんでいたにもかかわらず、である。そこには、後年の水木が自己呈示した泰然自若とした自画像とは異なる、戦争体験にこだわる戦傷者としての水木の顔貌が浮かび上がってくる。
(21) 水木が、自身の紙芝居時代の作品を振り返った記事が『別冊新評 水木しげるの世界』(一九八〇年秋号)に収録されており、それを参考にした。
(22) 水木しげる『ねぼけ人生』筑摩書房、一九八六年、一五六頁。
(23) 水木しげる「ゴジラと私」『東宝「ゴジラ」特撮全記録 THE MAKING OF GODZILLA 1985』小学館、一九八五年、八七頁。
(24) 水木は同時期に東真一郎名義で『地獄の水』という貸本漫画を発表しており、そこでは父親が変異して目の玉だけが残るという設定が踏襲されている。言うまでもないが、水木最大のヒット作『ゲゲゲの鬼太郎』の設定とよく似ている。
(25) 夜の東京を襲う「水木」の描写は、映画『ゴジラ』を巧みに踏襲している。映画『ゴジラ』をみて自分もゴジラになりたいと考えた水木しげるは、この作品の主人公を「水木」と名付け、ニューギニアからの帰還者として描くことで、自身の願望を実現したのだろう。
(26)「ぼくは片腕になったことは一応知らせておかなければならないと思って、上陸してすぐハガキに片腕になったぼくの絵を絵に描いて送っていた」と回想している(『水木しげる のんのん人生――ぼくはこんなふうに生きてきた』大和書房、二〇〇四年)。
(27) 水木しげるが鳥取連隊に入営したのが「一九四三年五

月」であり、その後「門司港」から南洋に向かった。『化鳥』の設定は、水木自身の来歴を辿っていると考えて良いだろう。
(28) 森田拳次「水木さんの想い出」『水木しげる漫画大全集 019 貸本戦記漫画集6 絶望の大空他』講談社、二〇二〇年、五五七頁。
(29) 平林重雄「水木しげると戦争漫画(増補改訂版)」『ユリイカ』二〇〇五年九月号、七六頁。
(30) 水木しげる「新発見原稿 ロータリー」『水木しげる漫画大全集 019 貸本戦記漫画集6 絶望の大空他』講談社、二〇一七年。この原稿は、『ガロ』誌上のコラム「ロータリー」用に書かれたものだが、未発表である。水木が同欄にコラムを寄せていたのは、一九六五年四月号から六八年八月号までとのことであり、その時期に書かれたものとみられる(前掲『大全集 019』五三七頁より)。
(31) 四方田犬彦「戦中派水木しげる」『ユリイカ』二〇〇五年九月号、五三頁。
(32) 水木は兎月書房の専属であったわけではないが、他社で仕事をするにあたって「東真一郎」というペンネームを使用している。
(33)「解題「壮絶!特攻」他」『水木しげる 漫画大全集 015 貸本戦記漫画集2 壮絶!特攻他』(講談社、二〇一五年)の付録「茂鐵新報」より。白旗を掲げる兵士を味方が撃つという場面は、「二人の中尉」(『日の丸戦記』創刊号、東京・丸の内文庫、一九六四年)でも描かれている。
(34) 貸本『墓場鬼太郎シリーズ2 霧の中のジョニー』(兎月書房、一九六二年)の末尾の「怪奇ファンの頁」という読者交流欄。引用は、『水木しげる漫画大全集 026 貸本版墓場鬼太郎5』講談社、二〇一七年、二七九頁。
(35) 平林重雄『水木しげると鬼太郎変遷史』YMブックス、二〇〇七年、七五頁。
(36) 資本主義の成立と他者認識の関係については、荻野昌弘『資本主義と他者』(関西学院大学出版会、一九九八年、二三三頁)、および大澤真幸『〈自由〉の条件』(講談社、二〇〇八年)を参照のこと。
(37)「解題「貸本版悪魔くん」」『水木しげる漫画大全集 047 貸本版悪魔くん』(講談社、二〇一七年)の付録「茂鐵新報」より。
(38) 梶井純『現代漫画の発掘』北冬書房、一九七九年、一七八頁。
(39) 権藤晋「作品研究① 「悪魔くん」——その挫折と〝早過ぎる死〟」『別冊新評 水木しげるの世界』一九八〇年秋号、一一四頁。
(40) 高橋明彦「悪魔くん、認識論的な救世主」『ユリイカ』二〇〇五年九月号。

(41) ただし、金儲けの才能はあったのか、物語の最後で「悪魔」は日本中の産業を手中に収める大資本家になっている。当初の構想では、水木は「悪魔」に資本主義を体現させる意図を込めていたのかもしれない。

(42) 水木しげる『水木しげる漫画大全集 047 貸本版悪魔くん』講談社、二〇一四年、四一五―四一六頁。句読点は適宜補った。

(43)『悪魔くん復活 千年王国』を論じたものとしては、呉智英「水木しげるの千年王国思想」(『怪と幽』第一一巻、二〇二二年八月、四三頁)がある。呉は、水木がコミュニズムに関心を持っていたという可能性を指摘している。呉はまた、青年期の水木の愛読書『ゲーテとの対話』を挙げ、マルクスもゲーテを愛読していたと述べて、思想的脈流を示唆している。

(44) 村上知彦・高取英・米沢嘉博『マンガ伝――「巨人の星」から「美味しいんぼ」まで』平凡社、一九八七年、二二二頁。

(45)「悪魔くん復活　千年王国――世界げきめつ作戦の巻」『週刊少年ジャンプ』一九七〇年一〇月一二日号。引用は、『水木しげる漫画大全集　050　悪魔くん復活千年王国(下)』講談社、二〇一六年、一八六―一八七頁。

(46) 引用した水木の問いかけは、青林堂編集部編『対話録・現代マンガ悲歌』青林堂、一九七〇年、一一―一四頁。

(47) 青林堂編集部編『対話録・現代マンガ悲歌』青林堂、一九七〇年、一四頁。

(48) 石川三四郎に関するもっともまとまった研究としては、西山拓が早稲田大学に提出した博士論文『石川三四郎のユートピア構想――近代日本の知識人による理想社会構築と社会改革の試み』(二〇〇九年二月)および、『石川三四郎のユートピア――社会構想と実践』(冬至書房、二〇〇七年)がある。

(49) 西山拓『石川三四郎のユートピア――社会構想と実践』(冬至書房、二〇〇七年)の記述を参考に、石川の思想を整理した。なお、すでに本文で確認したように、水木は生活に苦しんだ時期が長く、また青年期から読書家であり、ラバウルでの原住民との交流を心の支えにしていた。水木が石川に注目したのは、それほど意外なことではない。もっとも、水木がいつごろ、どのように石川の著作に触れたのかは不明であり、多忙を極めていた一九七〇年に石川の本をどのようにして知ったのかは、わからない。

(50) 石川三四郎『虚無の霊光』三一書房、一九七〇年、七一頁。

(51) 水木しげる「水木しげる　土人になりたい(人とことば18)」『言語生活』一九七二年七月号、九五頁。

(52) 水木の思想に虚無主義を指摘する議論としては、鶴見俊輔のものがある。鶴見は次のように述べた。「この虚無主義は、近代文明の理想にたいするうたがいをもっている。このうたがいは、作者の水木しげるが、近代文明のひとつの産物である戦争の中にとらえられて、文明の行きつく果てを見たということ、また南太平洋の島の生活の中に近代以前の様式でしっかりとくらしつづけている人々を見たということに発生の根拠をもっているだろう。作品にかえって言えば、水木しげるの虚無主義は、有史以前の立場にかえってそこから現代を見るという原始主義の系譜につらなる」（鶴見俊輔『鶴見俊輔全漫画論1 漫画の読者として』筑摩書房、二〇一八年、一七四頁）。

（53）同時に、幼少期の境港での生活にも根を下ろしているだろうが、それについては稿を改めて論じたい。

（54）つげ義春「大人物」『水木しげる漫画大全集 058 テレビくん他』講談社、二〇一五年、五七七―五七八頁。

（55）赤塚不二夫作品における家族共同体とそこへの闖入者の存在については、拙稿「赤塚マンガの原風景――「帝国日本」の落日が照らす孤独と情愛」『ユリイカ』二〇一六年一一月臨時増刊号を参照されたい。

第2章

（1）映画『懲役十八年』（松竹、一九六七年）より筆者が書き起こした台詞。

（2）『懲役十八年』に高い評価を与えた評論家に、桶谷秀昭がいる。桶谷は「この憤怒は、戦中派の存在論的憤怒といっていいだろう。まさに、その憤怒のために、模範的懲役囚の主人公は、仮釈放を目前にして、脱獄し、殺人を犯し、再び、敗戦期の原点へ、監獄へ戻っていく」と述べた（「純粋戦中派の憤怒」『日本読書新聞』一九六七年三月二〇日号。引用は、齋藤愼爾編『キネマの文學誌』深夜叢書社、二〇〇六年、一九八頁）。

　桶谷が使用した「戦中派の存在論的憤怒」という言葉は、国家による多様な暴力の痕跡が刻印された身体と精神が、自己否定をともなって戦後社会への否定へと接続していく精神性をうまく捉えた言葉であるように思われる。なお、脚本を担当した笠原和夫も、同様の見方をしている（笠原和夫・荒井晴彦・絓秀実『昭和の劇――映画脚本家 笠原和夫』太田出版、二〇〇二年、一九〇―一九一頁）。

　他方で、桶谷と同じ点に注目しながら、この映画を批判したのが山田和夫である。山田は主人公・川田の行動原理として「戦争犠牲者のめんどうすらみない、「お上」と「法」への徹底した不信」を指摘しつつ、それが「戦後二十二年の全的否定を前提」としていると述べ、「組織の民主主義の全的否定、個人の実力行為の全的肯定につながる」ものだと教条的な批判をしている（「日本映画批評」『キネマ旬報』一九六七年四月下旬号、八五頁）。

（3）高橋哲哉『戦後責任論』講談社、二〇〇五年、八五頁。

(4) 同右。

(5) なお、両者の違いと柳田の議論については、東琢磨『ヒロシマ・ノワール』(インパクト出版会、二〇一四年)の議論から多大なる示唆を受けた

(6) 朝鮮半島出身の元日本兵たちの姿にジャズを重ねた意図について、大島は次のように述べている。両者の関係は本書では深められなかった問題だが、今後の課題として書き留めておきたい。

『忘れられた皇軍』では、人数が少ないからデモの始めから終わりまでがワンショットのなかに写るんだよね。それだけで力がある。ああいうデモとアート・ブレイキーの音楽はぴったりだもんね。そのためにあると思った(笑)。ぼくはあまり音楽の教養がないんだけど、アート・ブレイキーはぼくに馴染みがあったんだな。あれに関しては無条件にドラムで行こうと言ったんだよね。傷痍軍人の行進とアート・ブレイキーが合うだろうという勘。ジャズというもののもってる、整理された音楽じゃない部分。肢体の不自由な人間の進軍であるという。黒人のもっているものと、見捨てられた兵隊がもっているものは合うだろうと。非常に感覚的にそう思いましたね(大島渚『大島渚1968』青土社、二〇〇四年、三九頁)。

(7) Oliver Dew, *Zainichi Cinema: Korean-in-Japan Film Culture*, Palgrave Macmillan, 2016.

(8) ナヨン・エィミー・クォン著、永岡崇監訳『親密なる帝国』人文書院、二〇二二年、三三一頁。

(9) 映画公開当時の評価は低い。そもそも映画評自体が少ないのだが、『キネマ旬報』を開けば、この映画がありふれた任侠・ヤクザ映画の一つとして受け止められていたことがわかる。『キネマ旬報』一九六六年九月上旬号は、次のように述べる。「やくざものが各社ともこう氾濫すると、ストーリーも手のうちようがなくなる。そこでひねり出したのが朝鮮人のやくざグループとマーケット住人の対決という趣向」だと。さらに、「結末も最初からわかっているようで、これまでのやくざ映画から一歩も出ていなかった」と(「日本映画批評　男の顔は履歴書」『キネマ旬報』一九六六年九月上旬号)。他方、佐藤静子は「加藤泰論──ハザマ人間とくずれ人間礼賛」(『映画評論』一九六七年六月号)のなかで戦後三部作を取り上げて、破滅の瞬間に「くずれる」、つまりみっともなくとも生を選ぶという結末に注目し、「破滅への宿命を生の思想に転化させた」と評価している(引用は『現代日本映画論大系　第四巻　土着と近代の相剋』冬樹社、一九七一年、四三五─四三六頁)。しかしこの評価は、在日朝鮮人表象にまったく触れておらず、映画の最後の一方的和解の場面の問題性に迫れていないように思われる。

（10）加藤泰『加藤泰映画華——抒情と情動』ワイズ出版、二〇一三年、四四一頁。
（11）本章での映画の台詞は映像から書き起こしたものだが、『日本侠花伝——加藤泰シナリオ集』（北冬書房、一九七三年）と対照させている。以下、目立った変更がある場合のみ、注記する。なお、仮名遣いは適宜改めた。
（12）代表的な研究として、五十嵐惠邦『敗戦と戦後のあいだで——遅れて帰りし者たち』（筑摩書房、二〇一二年）や、本文でも触れた志村三代子による研究、さらに笹川裕史「中国復員兵士たちの戦後経験——一九五〇年代上海の事例を中心に」（『軍事史学』第五五巻第四号）などがある。
（13）渡辺清『砕かれた神——ある復員兵の手記』岩波書店、二〇〇四年、一三頁。
（14）T・フジタニ著、板垣竜太・中村理香・米山リサ・李考徳訳『共振する帝国——朝鮮人皇軍兵士と日系人米軍兵士』（岩波書店、二〇二一年）。および、権学俊『朝鮮人特攻隊員の表象——歴史と記憶のはざまで』（法政大学出版局、二〇二二年）。
（15）T・フジタニ著、板垣竜太・中村理香・米山リサ・李考徳訳『共振する帝国——朝鮮人皇軍兵士と日系人米軍兵士』岩波書店、二〇二一年、四五一—四七頁。
（16）同右、二九四頁。
（17）「社説　戦後70年　地に刻む沖縄戦　朝鮮人軍夫　飢えと差別と重労働と」『沖縄タイムス』二〇一五年八月二五日。
（18）李泳采「戦後日朝関係の初期形成過程の分析——在日朝鮮人帰国運動の展開過程を中心に」『立命館法學』三三三・三三四号、三三三頁。
（19）『日本侠花伝——加藤泰シナリオ集』（北冬書房、一九七三年）所収のシナリオには、「いままで奴らが俺たちにしてきたのと同じようにだ」という言葉はない。撮影現場で付け加えられたものと思われる。
（20）第九〇回帝国議会、衆議院本会議、第一九号、昭和二一年七月二三日、四頁。なお、この引用部分は、朴慶植『解放後在日朝鮮人運動史』（三一書房、一九八九年）でも紹介されている。
（21）シナリオでは崔文喜の一人称は「僕」ではなく「俺」である。
軍人として沖縄でともに戦った「柴田上等兵」が、いまでは崔と名乗り、自分たちのために戦っていると主張するという設定からは、沖縄・朝鮮半島・日本の境界上にいる人物として復員兵の崔文喜が置かれていることが読み取れる。いうまでもなく、映画が公開された一九六六年の時点で、沖縄は米軍の施政権下にあった。映画内の抗争の過程で、崔は「九天同盟」に監禁された雨宮の弟を逃がしてやるのだが、ここからも崔が「九天同盟」と日本人組織の抗争の境界線を一時的に跨ぎ越える作劇上の役割を背負わされていると言える。さらに、映画のなかの「九天同盟」のメンバーには、ただのならず者として描かれる者もいるが、指導者の劉や崔は常にスーツを着込み、論客としての顔も持っている。これらを考慮すれば、崔を含む「九天同盟」のメンバーが画一的に描かれていたとは言えないだろう。もっとも、日本人俳優が「粗暴な在日朝鮮」人を演じているという問題については、詳細な分析が必要だと思われるが、それは本章の目的ではないため割愛する。

(22) 橋本健二・初田香成編『盛り場はヤミ市から生まれた』青弓社、二〇一三年、一三頁。

(23) 黒河星子「一九五〇年代の在日朝鮮人政策と北朝鮮帰還事業――帰国運動の展開過程を軸に」『史林』第九二巻第三号、二〇〇九年。

(24) 鳥濱トメと戦後社会の関係については、高井昌吏の論考「「特攻の母」の発見――鳥濱トメをめぐる「真正性」の構築」(福間良明・山口誠編『「知覧」の誕生――特攻の記憶はいかに創られてきたのか』柏書房、二〇一五年)が詳しい。

(25)「高倉健　ロングインタビュー」『キネマ旬報』二〇〇一年六月上旬号、三一頁。

(26) 降旗康男・片岡友理「インタビュー映画「ホタル」で語り伝えたかったこと――映画監督 降旗康男」『正論』二〇〇一年八月号、三二三頁。

(27) 佐藤忠男「感傷ではなく悔いをこめて」『キネマ旬報』二〇〇一年六月上旬号、四一頁。

(28) 同右。

(29) 中村秀之『特攻隊映画の系譜学――敗戦日本の哀悼劇』岩波書店、二〇一七年、二四五―二四六頁。

(30) 八木秀次「反戦映画に仕立てられた「ホタル」――特攻隊という切なく悲しい民族の歴史を反戦思想に歪曲する朝日的映画製作の欺瞞を糾す」『諸君!』二〇〇一年九月号、一六一頁。

(31) 同右、一六二―一六三頁。

(32) 同右、一六四頁。なお、八木は論考「特攻という〝青春〟」(『わしズム』第七号、二〇〇三年七月)でも『ホタル』を論じ、鳥濱トメの次女・赤羽礼子と東映側とでトメをめぐる描写についてのやり取りを明かしている。

第3章

(1)「あとがき　その場所をそうまでにして……」『総員玉砕せよ!』講談社、一九九一年。引用は、『水木しげる漫画大全集　067　総員玉砕せよ!!他』講談社、二〇一八年、四七〇頁。

(2) 宮本研「ザ・パイロット」『日本の原爆文学12　戯曲』ほるぷ出版、一九八三年、三三二頁。

(3) 前掲書、三三三頁。

(4) 本章の問題意識を明確にするため、先行研究を整理しておきたい。『はだしのゲン』に関する論文・評論は、一定の蓄積がある。メディア史研究者の福間良明と漫画研究者の吉村和真による共編著『「はだしのゲン」がいた風景――マンガ・戦争・記憶』(梓出版社、二〇〇六年)のなかで、福間良明は「はだしのゲン」の成立過程、掲載媒体の特性、漫画表現の特徴、物語構造、受容の様態などを解明した。さらに、日本のポピュラー文化においていかに被爆者が描かれてきたのかという観点から「はだしのゲン」に言及したものとして、拙稿「被爆者像のステレオタイプ化に関する一考察――映画『純愛物語』からテレビ特撮番組『怪奇大作戦』まで」(『立命館言語文化研究』第二八巻第三号、二〇一七年)がある。ここでは、「怒る被爆者」という『はだしのゲン』の特徴が、一九六〇年代の漫画表現の潮流を受け継いでいることを指摘した。

これら、社会学者、漫画研究者らによる研究とは別に、トラウマという観点から「はだしのゲン」に言及した論考も存在する。テッサ・モーリス・スズキは、『過去は死なない――メディア・記憶・歴史』(岩波書店、二〇〇一四年)のなかで『はだしのゲン』を取り上げ、重要な指摘をしている。それは、『はだしのゲン』で繰り返し描かれる残酷描写がかならずしもトラウマ記憶をそのまま再現しているわけではない、という指摘である。トラウマをいかに表現するかという課題が、『はだしのゲン』のあとに残されているとテッサ・モーリス・スズキは述べる。トラウマ記憶の表象可能性と不可能性は重要な論点だが、本章ではそのような理論的問題には深入りせず、『はだしのゲン』に描かれた表現に即して、原爆の傷痕について論じたい。

(5) 中沢啓治『「はだしのゲン」自伝』教育史料出版会、一九九四年、一九一頁。

(6) 同右。

(7) 前掲書、一九三頁。

(8) 『漫画パンチ』のメディア特性については、福間良明「「原爆マンガ」のメディア史」吉村和真・福間良明編『「はだしのゲン」がいた風景――マンガ・戦争・記憶』(梓出版社、二〇〇六年)が詳しい。

(9) 被爆者と「黒い目」を結びつけた表象は、中沢啓治以前から存在する。一例として深沢七郎「安芸のやぐも唄」(『新潮』一九六四年一月号)がある。

(10) 「東京大空襲とは」東京大空襲・戦災資料センターのHP。https://tokyo-sensai.net/about/tokyoraids/【二〇二二年一二月二〇日最終閲覧】

(11) 長野規『征く』思潮社、一九九七年、三八頁。

(12) 西村繁男『さらば わが青春の『少年ジャンプ』』飛鳥新社、一九九四年、二五頁。

(13) この「戦争調査」の結果を受けて、西村が企画したのが、望月三起也『ケネディ騎士団』だった。暗殺される直前の米・ケネディ大統領から、世界の平和を守るために国境を超えた組織づくりを依頼された日本人が、子どもたちを訓練して平和部隊を作るという設定の漫画である。この設定には、戦後日本の「内向きの世界平和志向」とでも呼ぶべき要素がある。西村前掲書、二六頁。

(14) 西村前掲書、二六頁。

(15) 「惜別 「少年ジャンプ」初代編集長・長野規さん」『朝日新聞』夕刊、二〇〇一年一二月一七日、五頁。

(16) 広島の「平和祭」とそれを受け止めた日本社会の関係については、福間良明『焦土の記憶――沖縄・広島・長崎に映る戦後』(新曜社、二〇一一年)を参照のこと。

(17) 中沢啓治『「はだしのゲン」自伝』教育史料出版会、一九九四年、五八頁。

(18) 次節で述べるように、ゲンの母親が死ぬ単行本第七巻以降、ゲンが見捨て体験を想起するのは一度きりである。母親の死によって、ゲンが見捨て体験を想起する機会は減少する。それは、中沢啓治が母親の存在を介してゲンの見捨て体験を描かざるを得なかったことと関係しているのではないだろうか。

(19) キャシー・カルース著、下河辺美知子訳『トラウマ・歴史・物語――持ち主なき出来事』みすず書房、二〇〇五年、九〇頁。

(20) 『はだしのゲン』における「顔の反復」という主題については、酒井隆史+HAPAXによる議論がある(「四つのモチーフについて」河出書房新社編集部編『『はだしのゲン』を読む』河出書房新社、二〇一四年、一三一頁)。

(21) 「隆太」の登場については、主人公の弟的な存在は「少年マンガ」の作劇場の要請ではないかという吉村和真による指摘がある。「シンポジウム『はだしのゲン』の多面性――第2部 マンガ家が読む「ゲン」」『マンガ研究』二二号、二〇〇四頁。

(22) 被爆以前と以後で「顔が変わった」という描写を、しばしば中沢は採用している。短編「黒い沈黙の果てに」では、被爆後に再会した母親の焼けただれた顔を見て恐怖し、これは自分の母親ではないと泣き出した子どもの心の傷跡が焦点化されている。

(23) 原民喜の「夏の花」の末尾には、唐突にあるエピソードが付け加えられている。妻の死骸を求めて原爆投下直後の広島を歩く「N」という男のエピソードである。「N」は死体の顔を覗き込んでは、これは妻ではないと落胆するという作業を三日三晩繰り返すのである。

(24) 評論家の呉智英は、この場面を被爆後の広島における一種の「民間信仰」の表れではないかという興味深い発言を残している(「シンポジウム『はだしのゲン』の多面性」

『マンガ研究』二二号）。確かに、そのように読むことで、『はだしのゲン』をより多面的に理解できるだろう。本章では深めることができなかったが、今後の課題として記しておきたい。

（25）顔の反復をめぐる物語は、完全には治癒されることのないトラウマ記憶を抱えた人間がとる行動と、そうした人間が抱く意識の一様態を示しているようで興味深い。一九六〇年代初頭に広島で被爆者への聴き取り調査を行ったロバート・リフトンは、被爆直後の広島では、被爆による悲しみから回復するために、子どもを求めて結婚・再婚するという例が多かったと指摘している。ロバート・J・リフトン著、枡井迪夫・湯浅信之・越智道雄・松田誠思訳『ヒロシマを生き抜く——精神史的考察』岩波書店、二〇〇九年。

（26）川口隆行「『はだしのゲン』閲覧制限事件」川口隆行編『〈原爆〉を読む文化事典』青弓社、二〇一七年、七〇頁。

（27）中沢啓治『「はだしのゲン」自伝』教育史料出版会、一九九四年、二〇九頁。

（28）「『夕凪の街桜の国』を歩く」『JMAマネジメントレビュー』二〇〇五年一二月、二三頁。

（29）一九九〇年代以降、黒人描写が問題視された。絵本『ちびくろサンボ』が絶版になったり、手塚治虫の漫画の黒人表象が問題になったりした。過去の漫画を再販する際に、巻頭や巻末に、これは「当時」の表現ですというただしがきが付くようになるのも、九〇年代以降のことだと考えられる。

第4章

（1）別役実「ヒロシマについての方法」『言葉への戦術——別役実評論集』烏書房、一九七二年、二六三—二六四頁。

（2）本文での別役実の作品に関する情報は、『別役実の世界』（新評社、一九八二年）に掲載された「別役実戯曲上演リスト」に、来歴についての情報は同誌に掲載された「別役実自筆年譜」に依拠している。

（3）菅孝行「あまりに方法的な……」『別役実の世界』新評社、一九八二年、一四一頁。

（4）月村敏行「一介の学生、一介の精神——新島闘争の頃」『別役実の世界』新評社、一九八二年、一四頁。

（5）佐々木伸良「書記局員〝役さん〟——東京土建一般労働組合の頃」『別役実の世界』新評社、一九八二年、一九頁。

（6）七字英輔「別役実の戦後認識——『象』から始まる物語群」『ユリイカ』二〇二〇年一〇月臨時増刊号、四一頁。

（7）内田洋一『風の演劇——評伝別役実』白水社、二〇一八年、一五四頁。

（8）別役実「象」『別役実戯曲集　マッチ売りの少女／象』三一書房、一九六九年、二〇九—二一〇頁。なお、『劇場評論』第二号（一九六三年九月）に掲載された版では、「眼をみるんだ」に傍点は付されていない。また改行の位置も異なる。
（9）以下、吉川清による『平和のともしび——原爆第一號患者の手記』（京都印書館、一九四九年）と『「原爆一号」といわれて』（筑摩書房、一九八一年）に依拠して、吉川の来歴を整理しておく。
（10）「悲惨な傷跡で原爆の罪訴え続け　広島の吉川清さん死去」『朝日新聞』一九八六年一月二六日、二三頁。
（11）「私は訴える④　〝冷笑はやめてくれ〟「原爆第一号」の吉川清さん」『朝日新聞』一九五二年五月四日、三頁。
（12）磯田光一「同世代作家への直言」『読売新聞』夕刊、一九七〇年八月七日、五頁。
（13）吉本隆明「戦後思想の荒廃」『展望』一九六五年一〇月号。引用は、『吉本隆明全著作集13』一九六九年、勁草書房、三二九頁。
（14）別役実「赤い鳥のいる風景——「ヒロシマ」との関係を探るために」『言葉への戦術——別役実評論集』烏書房、一九七二年、二六一頁。
（15）「原爆乙女」の報道については、中野和典の論考「「原爆乙女」の物語」（『原爆文学研究』第一巻、二〇〇二年）を参照されたい。
（16）「原爆譜⑤　戯曲「象」を書いた別役実さん」『朝日新聞』夕刊、一九七〇年七月三一日、六頁。
（17）鈴木忠志「追悼・別役実　新しい舞台形式の創始者」『毎日新聞』夕刊、二〇二〇年三月一九日、七頁。
（18）玉音放送を相対化する別役の方法の特異性は、比較項として宮本研の戯曲「ザ・パイロット」（『新日本文学』一九六四年一〇月号）をその横に置くと、測定しやすくなるだろう。この作品については第3章でも触れたが、ここでは別の場面を紹介したい。この作品には祝六平太という人物が登場する。彼は、長崎に原爆が投下された日に、監視哨の哨長として望遠鏡で空と太陽を凝視したため、視力を失ったとされる男である（彼の視力の状態については、多様な解釈が可能なように設定されているが、最終的には完全に失明する）。六平太は、毎年八月一五日になると、ラジオの前に座って過ごしている。それが彼の生き甲斐になってしまっているのだ。彼は玉音放送を聴いたときのことを次のように回想する。「祝六平太は大事の瀬戸際で不始末ばしてしまいました。何ちゅうてお詫びしてよかかわかりまっせん。……ばってん、祝はこらえます。塀かがもうよかていいなはるときまで、祝はこらえます。こらえて、こらえて、こらえぬいてみせます」。さらに六平太は言う。「毎年、一五日になって陛下の放送ば聞くと、わたしゃシャンとするとです。……陛下がいいなはります。わしがいうたとおりちゃんとこらえとるかい、祝六平太。すると、わたしがお答えするとです。はい、陛下、祝はこらえとります一生懸命こらえとります。ざしの下で「我慢する（こらえる）」という行為を戦後に続けてきた体験者の姿が描かれている。自分でも理解しがたい戦争の傷痕を抱え込んだ個人が、天皇との関係でそれを自己合理化しようとする精神性が克明に綴られていると読むことができる。しかし、宮本と別役とではその方向性がまったく異なる。別役は、体験者の合理と倒錯を失明という重い代償として描くのに対し、別役は排便として描くのである。引用は、宮本研「ザ・パイロット」（『日本の原爆文学12　戯曲』ほるぷ出版、一九八三年、三四六—三四七頁）より。

（19）「町山智浩の大林宣彦映画入門！　大林宣彦映画を読み解く7つのキーワード」『映画秘宝』二〇二〇年七月号。

（20）大林宣彦・高畑勲「映画は境界を越えて」『野のなななのか』劇場用パンフレット、二〇一四年五月。引用は、『ユリイカ』二〇二〇年九月臨時増刊号、三〇〇頁。

（21）伊藤弘了「大林宣彦主要作品解題」『ユリイカ』二〇二〇年九月臨時増刊号、三五七頁。

（22）大林宣彦『4／9秒の言葉——4／9秒の暗闇＋5／9秒の映像』創拓社、一九九六年、一九六—一九七頁。

（23）「独自の映画論を語る　客員教授の大林監督が初講義成安造形大で」『読売新聞』大阪朝刊、二〇〇三年七月二六日、三〇頁。

（24）「長岡花火　大林監督映画に　平和願う精神　世界へ」『読売新聞』東京朝刊、二〇一〇年一〇月一三日、三三頁。

（25）「小泉首相改憲発言の会見要旨」『読売新聞』二〇〇一年四月二八日。

（26）角川春樹「忘れな草君はキネマの玉手箱」『ユリイカ』二〇二〇年九月臨時増刊号、一七七頁。

（27）「どうする　秘密法　平和作る世代、守る使命　大林宣彦さん」『朝日新聞』二〇一三年一二月二七日、三八頁。

（28）「戦争なくなれば映画いらない」大林宣彦さんの「反戦への思い」『女性自身』二〇二〇年五月五日号。引用は、次のHPより。

https://news.line.me/detail/oa-jisin/f74fbf9d5e17

【二〇二二年九月三〇日最終閲覧】

（29）大林宣彦・高畑勲「映画は境界を越えて」『野のなななのか』劇場用パンフレット、二〇一四年五月。引用は、『ユリイカ』二〇二〇年九月臨時増刊号、二九八—二九九頁。

（30）大林宣彦・中川右介「対談　時代をひた走る、大林ワールドへ」『キネマ旬報』二〇一四年五月下旬号、二三頁。

（31）大林宣彦『最後の講義　完全版　大林宣彦』主婦の友社、二〇二〇年、一九六—二〇〇頁。

(32)この作品については、柳下毅一郎による簡にして要を得た解説がある。柳下は、二〇二〇年四月六日に放送されたTBSラジオの番組「アフター6ジャンクション」で、この映画を大林の集大成と位置付け、情報の「重ね合わせ」がポイントだと指摘していた。
(33)吉田喜重「新作『鏡の女たち』を語る」『世界』二〇〇三年六月号、二六〇―二六一頁。
(34)大林宣彦『4/9秒の言葉――4/9秒の暗闇+5/9秒の映像』創拓社、一九九六年、一六四頁。
(35)大林宣彦『のこす言葉　大林宣彦　戦争などいらない――未来を紡ぐ映画を』平凡社、二〇一八年、九〇―九一頁。
(36)大林宣彦『最後の講義　完全版　大林宣彦』主婦の友社、二〇二〇年、一七七頁。
(37)岡本は自身が目指す映画の「流れ」を「だいたんな省略」だと述べ、次のように続ける。「どうも日本映画には無駄が多い。なぜ無駄が多いかと云うと、不必要な雰囲気や情緒が、あちらこちらにありすぎるからだ。こうした無駄がないと、芸術的に見えぬものなのか。とんでもない。ぼくはどんどん無駄をはぶいて、映画の流れをつくる」(岡本喜八「映画の流れについて」『キネマ旬報』一九五九年五月下旬号、四七頁)
(38)『キネマ旬報』一九八九年一一月上旬号。

第5章

(1)高畑の父親については、エッセー「父のこと」(『カッコー通信』一九八四年九月一〇日。引用は、『映画を作りながら考えたこと』徳間書店、一九九一年、二二四頁)の内容を筆者が整理した。また空襲経験については、同書の四三四頁の記述も参考にした。
(2)高畑勲『アニメーション、折にふれて』岩波書店、二〇一九年、二八八頁。
(3)叶精二「「弁証法の人」高畑勲監督の到達点」『高畑勲――「太陽の王子 ホルスの大冒険」から「かぐや姫の物語」まで(キネマ旬報ムック)』キネマ旬報社、二〇一三年、三四頁。
(4)大塚康生『作画汗まみれ』文藝春秋、二〇一三年、一七〇頁。
(5)「高畑監督作品リスト」『映画を作りながら考えたこと』徳間書店、一九九一年、四八八頁。
(6)木村智哉「五九年世代と「演出中心主義」――高畑勲と東映動画の〈長い六〇年代〉」『ユリイカ』二〇一八年七月臨時増刊号、五〇―五一頁。木村は「本作は、高畑自身が身を置くアニメーション制作の場から共同体の在り方を考えることで、普遍的な社会批評の意義を作品に込めようとした試みと解することができる」と記している。
(7)高畑勲『「ホルス」の映像表現』徳間書店、一九八三年、一一四頁。
(8)同右。
(9)同右。
(10)高畑勲「「太陽の王子　ホルスの大冒険」演出にあたって」『キネマ旬報』一九六八年八月上旬号。引用は、『高畑勲――「太陽の王子 ホルスの大冒険」から「かぐや姫の物語」まで(キネマ旬報ムック)』キネマ旬報社、二〇一三年、一一二頁。
(11)前掲書、三二頁。
(12)高畑勲「宮崎駿を語る①　あふれんばかりのエネルギーと才気」『アニメージュ』三八号、一九八一年八月、四九頁。
(13)高畑勲「「赤毛のアン」制作の全貌に迫る」『映画を作りながら考えたこと』徳間書店、一九九一年、一二七頁。
(14)高畑勲がいわゆる「英雄」を描かなかったという点についてのより詳細な考察は、藤津亮太の論考「高畑勲の描いた「普通」と「理想」」(『ユリイカ』二〇一八年七月臨時増刊号)を参照のこと。
(15)宮崎駿・大塚康生・古川タク・高畑勲「ほんとうに〝大衆に奉仕する〟娯楽作品を作ってもらいたい――がんばれ中国アニメーション」『アニメージュ』一九八一年六月号。引用は、『映画を作りながら考えたこと』徳間書店、一九九一年、一四八頁。
(16)磯前順一「歴史的言説の空間――石母田英雄時代論」『現代思想』一九九七年九月号。
(17)鷲谷花「美しい悪魔の妹たち――『太陽の王子 ホルスの大冒険』にみる戦後日本人形劇史とアニメーション史の交錯」『ユリイカ』二〇一八年七月臨時増刊号。鷲谷は、アイヌの民話に題材を得た人形劇『春楡の上に太陽』と『ホルスの大冒険』の連続性を論じながら、高畑の演出家としての自己形成を考えるうえで有益な視座を提供してくれている。
(18)高畑勲・宮崎駿・小田部羊一『幻の「長くつ下のピッピ」』岩波書店、二〇一四年、六八頁。
(19)押井守『誰も語らなかったジブリを語ろう』徳間書店、二〇一七年、一九三頁。
(20)高畑勲「主人公たる資格に欠けたマルコ」『映画を作りながら考えたこと』徳間書店、一九九一年、八八頁。
(21)高畑勲の『火垂るの墓』については これまでも論じたことがある。拙稿「「火垂るの墓」のメディア文化論」(『神戸外大論叢』第六四巻第三号)や、拙著『教養としての戦後〈平和論〉』(イースト・プレス、二〇一六年)などである。以下、これらの議論と重なる部分があるが、拙著や拙稿をすでに手にしている読者のみを想定することはできないため、重複を恐れずに記述することにしたい。
(22)越前谷宏「野坂昭如「火垂るの墓」と高畑勲『火垂る

の墓』」『日本文学』二〇〇五年四月号。
(23) 高畑勲「映画をつくりながら考えたこと」『映画を作りながら考えたこと』徳間書店、一九九一年、四四一頁。
(24) 前掲書、四四一頁。
(25) 高畑勲「人間を再発見する力」『映画を作りながら考えたこと』徳間書店、一九九一年、四二九頁。
(26) 前掲書、四三一頁。
(27) 高畑勲「火垂るの墓　一九八七年四月十八日　記者発表用資料」『映画を作りながら考えたこと』徳間書店、一九九一年、四二〇頁。
(28) 前掲書、四一八頁。
(29) 前掲書、四一九頁。
(30) 親戚の「おばさん」については、拙著『教養としての戦後〈平和論〉』(イースト・プレス、二〇一六年)の第四章で述べた。
(31) 遠藤正敬「『火垂るの墓』の葬送するもの――戦争が壊した「大人たち」の権威」『ユリイカ』二〇一八年七月臨時増刊号。
(32) 同右、三〇二頁。
(33) 高畑勲・富野由悠季「特別対談　TVアニメの映画化の際、絶対に実写畑の人間を入れたくない!」『ロマンアルバム 42EXTRA　機動戦士ガンダム』徳間書店、一九八一年。引用は、『高畑勲――「太陽の王子 ホルスの大冒険」から「かぐや姫の物語」まで(キネマ旬報ムック)』キネマ旬報社、二〇一三年、八六頁。
(34) 同右、八七頁。
(35) 高畑勲「映画を作りながら考えたこと」『東京』第六号、一九八八年一二月。引用は『映画を作りながら考えたこと』徳間書店、一九九一年、四四四頁。
(36) 同右。
(37) しかたしん『国境――第一部・一九三九年』(理論社、一九八六年)の奥付に記載された著者略歴より。
(38) 高畑勲「国境　BORDER　1939――「ぼく」をさがしに」『映画を作りながら考えたこと』徳間書店、一九九一年、四五六―四五九頁。
(39) しかたしん『国境――第一部・一九三九年』理論社、一九八六年、一二頁。
(40) 高畑勲「国境　BORDER　1939――「ぼく」をさがしに」『映画を作りながら考えたこと』徳間書店、一九九一年、四五八頁。
(41) 前掲書、四五八―四五九頁。
(42) 片渕須直「高畑勲との交差に至るまで」『ユリイカ』二〇一八年七月臨時増刊号、二四三頁。
(43) 小杉みすず「「火垂るの墓では戦争は止められない」高畑勲監督が「日本の戦争加害責任」に向き合うため進めていた幻の映画企画」

https://lite-ra.com/2018/04/post-3949_4.html
【二〇二二年一一月三日最終閲覧】

(44)『朝日新聞』一九九〇年九月一一日、一五頁。

(45) ジグムント・バウマン著、伊藤茂訳『退行の時代を生きる——人びとはなぜレトロトピアに魅せられるのか』青土社、二〇一八年、一七頁。

(46) 高畑勲「「おもひでぽろぽろ」準備稿」一九九〇年一月八日。引用は『映画を作りながら考えたことII』徳間書店、一九九九年、四四頁。

第6章

(1) こうの史代・西島大介「片隅より愛をこめて」『ユリイカ』二〇一六年一一月、三三頁。

(2) これまで、文学研究、マンガ研究、カルチュラル・スタディーズといった領域から、『夕凪の街 桜の国』に関する論考が提出されてきた。二〇一六年には『ユリイカ』でこうの史代の特集が組まれ、多様な領域の研究者、論者が論考を発表している。

漫画単行本が二〇〇四年、映画が二〇〇七年、と比較的最近に発表されていることを思えば、研究論文の数からいっても『夕凪の街 桜の国』の注目度が知れるだろう。本章の論点や問題意識には重なるところも多い。そこで、本章の位置をより明確にするためにも、まずはこれらの先行研究を整理しておきたい。

川口隆行「メディアとしてのマンガ、甦る被爆都市の記憶」(『原爆文学研究』第四号)は、漫画の意味内容の分析に重点を置いた論考であり、漫画表現を作者による主観的現実理解の表象として分析する方法が採られている。熱心な読者たちがインターネット上に作る親密的空間を分析の俎上に載せている点は、新たな読者論の領野を拓くものとして興味深い。また、川口は「「原爆スラム」をマンガという媒体によって紙上に甦らせようとしながら、そうした忘却に抗うそぶりのうちに、コード化されたともいえる「原爆スラム」＝朝鮮人というイメージの連結を密やかに切断している」という批判的な読解を提示しており、これは他の論者にはない視点であった。何が描かれていないかを問うことは、描かれている問題を問うこと以上に、対象の歴史的社会的位置を明確にし得る試みである。これに対して本章では、描かれたものを分析するという態度を堅持し、漫画表現を作者の意図と読者の受容動向の両面から分析することで、メディア文化としての漫画『夕凪』の特質を提示することになるだろう。

吉村和真「『はだしのゲン』のインパクト」(『「はだしのゲン」がいた風景——マンガ・戦争・記憶』梓出版社、二〇〇六年)は、そのタイトルが示すように『はだしのゲン』論であるため、漫画『夕凪』に関する言及は少ない。

そのわずかな言及のなかで吉村は、マンガ表現の成立を考察するにあたってのメディア論的視座の重要性を示唆している。さらに吉村は、こうの史代・竹宮惠子・吉村和真『マンガノミカタ――創作者と研究者による新たなアプローチ』（樹村房、二〇二一年）所収の「吉村和真が読み解く「夕凪の街」」で、記憶の混在やフラッシュバックを論じている。吉村の問題意識を引き継ぎつつ、本章は原作漫画だけでなく、映画『夕凪』をも分析対象に加えることで、表現と時代背景の関係をメディア論的視座から把握しようとする。

浜邦彦「生き延びた者の〈恥〉――『夕凪の街 桜の国』に見る身体・言語・性」（『大阪経済法科大学アジア太平洋研究センター年報』五号）は、漫画と映画を共に扱った論文としては唯一のものであり、生き延びた者が感じる恥辱に焦点を当てて物語に即して分析している。浜はそのなかで、『夕凪の街 桜の国』を、主人公が自らの意思で世界を受容できない苦しみの状態から抜け出して、自らの被爆二世としての出生を肯定的に受け止めなおすという「喪失の記憶と和解する物語」として提示している。本章では、浜の解釈を「被爆の記憶の継承と断絶」という視点から再検討し、「和解」という解釈がややもすれば見落としてしまいかねない問題を改めて提示したい。また、浜は漫画と映画を共に扱っているものの、メディアが移行することによる物語の変化については言及がない。この点も本章では考察の対象にする。

（3）初出と単行本での異同を確認しておく。以下、改変点について、単行本の頁数と当該コマの位置を記し、「初出時」⇒「単行本」、と表記する。なお「／」は引用者によるもので、改行を示す。

・二三頁左下のコマの文章「へいの下」⇒「塀の下」
・二三頁左下のコマの吹き出し「おとうさんは」⇒「お父さんは」
・二四頁右のマの文章「しらぬ間に」⇒「知らぬ間に」
・二六頁上段左のコマの文章「すっかりむこうのことばに／なって広島に帰るのを／いやがった」⇒「すっかり見知らぬ少年で／広島へ帰るのを／むこうのことばで嫌がった」
・三八頁左下のコマの吹き出し「おかえり東子」⇒「おかえり東子ちゃん」
・五二頁上段のコマの文章「あの日の検査の／結果の悪かった／おばあちゃんが／死んだのは、その夏のことだった／「霞、皆実、梨…」／わたしのことを昔広島で／死んだ伯母さん達の／名で呼びながら…」⇒「あの日の検査の／結果の悪かった／おばあちゃんが／死んだのは／その夏のことだった」

（4）「南信長さんのコミック教養講座」『朝日新聞』朝刊、

二〇〇四年一一月二八日、一六頁。
(5) 二〇〇四年文化庁メディア芸術祭マンガ部門大賞の「贈賞理由」http://archive.j-mediaarts.jp/festival/2004/manga/works/08m_YUNAGI_NO_MACHI_SAKURA_NO_KUNI/【二〇二二年一二月二〇日最終閲覧】
(6) 竹熊健太郎「マンガ中毒者たちのベスト5」『このマンガを読め！ ２００５』フリースタイル、二〇〇五年、四七頁。
(7)「歴史と勝負し新世界第九回手塚治虫賞」『朝日新聞』二〇〇五年五月一〇日、〇頁。
(8) なお、こうの史代の漫画を過去の戦争表現の系譜に位置付ける試みは、紙屋高雪が論考「『この世界の片隅に』は「反戦マンガ」か」(『ユリイカ』二〇一六年一一月)で先鞭をつけている。本章では、紙屋とは異なる作品を挙げて、こうの史代の位置づけをより多角的に考察するための材料を提示したい。
(9) 武田一義「戦場漫画『ペリリュー――楽園のゲルニカ』で描きたいこと」『中央公論』二〇一八年九月号、八一頁。
(10) 武田一義・高村亮「そこにいたであろう人を、みんな肯定したい」大川史織編『なぜ戦争をえがくのか――戦争を知らない表現者たちの歴史実践』みずき書林、二〇二一年、九〇頁。
(11) 武田一義「戦場漫画『ペリリュー――楽園のゲルニカ』で描きたいこと」『中央公論』二〇一八年九月号、八一頁。
(12) 中国新聞社ヒロシマ五〇年取材班編『検証ヒロシマ１９４５―１９９５――ヒロシマ50年』中国新聞社、一九九五年、三〇―三四頁。文沢隆一「相生通り」山代巴編『この世界の片隅で』岩波書店、一九六五年。
(13)「[インタビュー] こうの史代　非体験とマンガ表現」福間良明・山口誠・吉村和真編『複数の「ヒロシマ」――記憶の戦後史とメディアの力学』青弓社、二〇一二年、三八一―三八二頁。興味深いことに、『ペリリュー――楽園のゲルニカ』の著者の武田一義も、同様の発言をしている。武田は、「上官からむやみに殴られるといった、戦争モノによくあるシーンもほとんど描かれていませんね」という質問に対して次のように答えている。「若い世代にも、日本文化のなかで、感覚として類型的な日本兵像が入り込んでいるのではないかと思います。だから、あえてそこを強調して描かなくてもいいのかなと思いました。というのは、戦争の悲惨さを伝える時に、ともすれば個人の意地悪話になってしまうことがあると感じていたからです。[中略]かといって、上官に殴られるシーンをゼロにしてもいけない。だからそういうシーンは最初のほうで描き、後は何度も繰り返してはいません。」(武田一義「戦場漫画『ペリリュー――楽園のゲルニカ』で描きたいこと」『中央公論』二〇一八年九月号、八三頁)。

(14) 中田健太郎「世界が混線する語り」『ユリイカ』二〇一六年一一月、一三三頁。
(15) 浜邦彦「生き延びた者の〈恥〉――『夕凪の街 桜の国』に見る身体・言語・性」『大阪経済法科大学アジア太平洋研究センター年報』五号、三一頁。
(16) 川口隆行「メディアとしてのマンガ、甦る被爆都市の記憶」『原爆文学という問題領域』創言社、二〇〇八年、一一九頁。
(17) 「『夕凪の街 桜の国』を歩く」『JMAマネジメントレビュー』二〇〇五年一二月、二三頁。
(18) 杉尾敏明・棚橋美代子『ちびくろサンボとピノキオ――差別と表現・教育の自由』青木書店、一九九〇年、二一―八頁。
(19) 安藤健二『封印作品の謎2』太田出版、二〇〇六年、一〇五頁。
(20) 中野晴行『マンガ産業論』筑摩書房、二〇〇四年、一五八頁。
(21) 『キネマ旬報』一五〇一号、六六頁、八四頁。
(22) 『毎日新聞』夕刊、二〇〇七年七月二七日。
(23) 山田朗「戦闘シーンなき戦争映画による体験・記憶の継承」『シネ・フロント』三五六号、四三頁。
(24) 「今月のおすすめDVD」『キネマ旬報』一五〇四号、一六九頁。
(25) 佐藤忠男「原爆の子であることに積極的な意義を感じとる視点」『キネマ旬報』一四八八号、六三頁。
(26) J・オーモン、A・ベルガラ、M・マリー、M・ヴェルネ著、武田潔訳『映画理論講義――映像の理解と探究のために』勁草書房、二〇〇〇年、一六九―一七二頁。
(27) 新藤兼人「わが海軍」『新藤兼人の足跡3 性と生』岩波書店、一九九三年。
(28) 佐藤忠男『黒木和雄とその時代』現代書館、二〇〇六年、五―八頁。
(29) 今村昌平『今村昌平――映画は狂気の旅である』日本図書センター、二〇一〇年、一八頁および三三―三五頁。
(30) 四方田犬彦編『吉田喜重の全体像』作品社、二〇〇四年、三〇二頁。
(31) 「佐々部清監督、自作を語る」『シネ・フロント』二〇〇七年八月号、三一頁。
(32) 広島県編『原爆三十年――広島県の戦後史』広島県、一九七六年、七一―八一頁。
(33) こうの史代「あとがき」『夕凪の街 桜の国』双葉社、二〇〇四年、一〇三頁。
(34) 日高勝之「モダニティと未完性――『昭和ノスタルジア』メディアにおける東京タワーの表象」『立命館産業社会論集』第四六巻第二号。および日高勝之『昭和ノスタルジアとは何か――記憶とラディカル・デモクラシーのメディア学』世界思想社、二〇一四年。

(35)「佐々部清監督インタビュー」『夕凪の街 桜の国 劇場公開時パンフレット』、一六頁。

おわりに

(1) 鶴見俊輔「リンチの思想」『鶴見俊輔著作集』第九巻、筑摩書房、一九九一年、二五七頁。

(2) 前掲書、二六〇頁。

あとがき

まずは、本書の構成について説明したい。第1章は書き下ろしだが、それ以外の章には元になった論考が存在する。そのまま再録したのではなく、どの章にも加筆修正を施したが、部分的に内容の重なりがあることをおことわりしておく。元になった論考は次の通りである。

第2章　「『男の顔は履歴書』（一九六六年）における民族と暴力の表象に関する一考察」『JunCture 超越的日本文化研究』名古屋大学大学院人文学研究科附属超域文化社会センター、第一三号、二〇二二年。

第3章　Akihiro, Yamamoto. (2019). Experience of Abandonment and Repeating Faces of the Dead : modern Japanese Society and Traumatic memories in Keiji Nakazawa's Barefoot gen. *Journal of Literature and Trauma Studies*, 6.

邦題「「見捨て体験」と死者の顔の反復——中沢啓治「はだしのゲン」にみるトラウマ記憶の

問題と現代日本社会」

第4章　「方法としてのケロイドと「おにぎり」――別役実と原爆の問題」『ユリイカ』青土社、第五二巻第一二号、二〇二〇年。

「幽霊と一輪車――映画による歴史叙述と反戦平和をめぐって」『ユリイカ』青土社、第五二巻第一〇号、二〇二〇年。

第5章　「「火垂るの墓」のメディア文化論」『神戸外大論叢』神戸市外国語大学研究会、第六四巻第三号、二〇一四年。

第6章　「『夕凪の街 桜の国』と被爆の記憶――原作マンガと映画化作品の比較を通して」高井昌吏編『「反戦」と「好戦」のポピュラー・カルチャー――メディア／ジェンダー／ツーリズム』人文書院、二〇一一年。

第2章は星野幸代さんと河西秀哉さんに、第3章は西欣也さんに、構想を発表する機会を与えていただいた。また、たくさんの方が、本書の草稿に目を通し、丁寧にコメントを送ってくださった。第1章にコメントをくださった森下達さんと丸川哲史さん、そして福間良明さんをはじめとする関西歴史社会学研究会のみなさま、ありがとうございました。そのほか、第1章と第2章は太田悠介さんに、第3章と第5章は坂堅太さんに目を通していただき、貴重なコメントをいただいた。

それ以外に、普段から参加している研究会での議論も、本書の土台となっている。特に戦争社会学研究会、メディア史研究会、原爆文学研究会、現代思想研究会、今村昌平研究会での刺激的な議論から、いつも気付きを得てきた。

また、研究会やシンポジウムでコメントの機会を与えてくださった蘭信三さん、磯前順一さん、津守陽さん、梶尾文武さん、木戸衛一さん、若尾祐司さん、樋口浩造さん、高橋秀寿さん、酒井隆史さん、野上元さん、並河葉子さん、飯塚浩一さん、徐東周さんにもお礼を言いたい。自分の関心と他の報告との接点を探りながらコメントを練る作業は、自分の問題意識を固める最良の機会だった。

編集を担当してくださった永井愛さんと加藤峻さんには、お手を煩わせたお詫びとお礼を、いつも素晴らしい研究環境を整えてくださる神戸市外国語大学研究所グループのみなさまにも、心からのお詫びとお礼を申し上げます。

二〇二三年一月二三日

山本昭宏

引用図版一覧

第1章

【図版1】『読売新聞』1947年4月10日、2頁。

【図版2】『水木しげる漫画大全集 098 ボクの一生はゲゲゲの楽園だ（上）』講談社、2017年、372頁および373頁。

【図版3】『水木しげる漫画大全集 001 貸本漫画集1 ロケットマン他』講談社、2013年、60頁
【図版4】『水木しげる漫画大全集 001 貸本漫画集1 ロケットマン他』講談社、2013年、131頁。

【図版5】『水木しげる漫画大全集 003 貸本漫画集3 怪獣ラバン他』講談社、2013年、85頁。

【図版6】『水木しげる漫画大全集 026 貸本版墓場鬼太郎5』講談社、2017年、405頁。

【図版7】『全国貸本新聞』1959年6月12日、8頁。

【図版8】『水木しげる漫画大全集 019 貸本戦記漫画集6 絶望の大空他』講談社、2017年、116頁。

【図版9】『水木しげる漫画大全集 024 貸本版墓場鬼太郎3』講談社、2018年、159頁。

【図版10】『水木しげる漫画大全集 022 貸本版墓場鬼太郎1』講談社、2014年、257頁。

【図版11】『水木しげる漫画大全集 026 貸本版墓場鬼太郎5』講談社、2017年、163頁。

【図版12】安部公房『幽霊はここにいる』新潮社、1971年、カバー。

【図版13】『水木しげる漫画大全集 035 ゲゲゲの鬼太郎7 死神大戦記他』講談社、2015年、52頁。

【図版14】『水木しげる漫画大全集 050 悪魔くん復活千年王国（下）／悪魔くん世紀末大戦』講談社、2016年、136頁。

【図版15】『水木しげる漫画大全集 050 悪魔くん復活千年王国（下）／悪魔くん世紀末大戦』講談社、2016年、164頁。

【図版16】石川三四郎『虚無の霊光』三一書房、1970年、カバー。

【図版17】『水木しげる漫画大全集 053 貸本版河童の三平（上）』講談社、2013年、39頁。

【図版18】『水木しげる漫画大全集 025 貸本版墓場鬼太郎4』講談社、2015年、408頁
【図版19】『水木しげる漫画大全集 026 貸本版墓場鬼太郎5』講談社、2017年、277頁。

第2章
【図版1】映画『懲役十八年』東映、2016年、DVDパッケージ。
【図版2】映画『懲役十八年』東映、2016年、1:25:52。
【図版3】映画『懲役十八年』東映、2016年、0:33:20。
【図版4】映画『懲役十八年』東映、2016年、0:12:39。
【図版5】映画『懲役十八年』東映、2016年、1:28:55。
【図版6】映画『ホタル』東映、2012年、DVDパッケージ。

第3章
【図版1】中沢啓治『はだしのゲン』第7巻、汐文社、1988年、255頁。
【図版2】中沢啓治『黒い雨にうたれて』エール出版社、1971年、23頁。
【図版4】中沢啓治『はだしのゲン』第4巻、汐文社、1975年、229頁。
【図版5】中沢啓治『はだしのゲン』第4巻、汐文社、1975年、163頁。
【図版6】中沢啓治『「はだしのゲン」自伝』教育史料出版会、1994年、カバー。
【図版7】中沢啓治『はだしのゲン』第1巻、汐文社、1975年、2頁。
【図版8】中沢啓治『はだしのゲン』第10巻、汐文社、1987年、134頁。
【図版9】中沢啓治『はだしのゲン』第2巻、汐文社、1975年、154頁。
【図版10】中沢啓治『はだしのゲン』第4巻、汐文社、1975年、219頁。

第5章
【図版1】映画『太陽の王子 ホルスの大冒険』東映、1968年、ポスター。
【図版2】しかたしん『国境――第一部・一九三九年』理論社、1986年、カバー。

第6章
【図版1】映画『黒い雨』東北新社、2004年、DVDパッケージ。
【図版2】比嘉慂『砂の剣』青林工藝舎、2010年、カバー。
【図版3】武田一義『ペリリュー――楽園のゲルニカ』第2巻、白泉社、2017年、カバー。

【図版4】こうの史代『夕凪の街 桜の国』双葉社、２００４年、カバー。

【図版5】こうの史代『夕凪の街 桜の国』双葉社、２００４年、８頁。

【図版6】白土三平『消え行く少女 後編』小学館クリエイティブ、２００９年、１２８頁。

【図版7】こうの史代『夕凪の街 桜の国』双葉社、２００４年、９頁。

【図版8】こうの史代『夕凪の街 桜の国』双葉社、２００４年、22頁。

【図版9】中沢啓治『はだしのゲン』第2巻、汐文社、１９７５年、66頁。

【図版10】映画『夕凪の街 桜の国』東北新社、２００８年、０：43：48。

【図版11】映画『夕凪の街 桜の国』東北新社、２００８年、１：11：51。

【図版12】こうの史代『夕凪の街 桜の国』双葉社、２００４年、34頁。

山本昭宏（やまもと・あきひろ）

1984年奈良県生まれ。京都大学大学院文学研究科博士後期課程修了。博士（文学）。現在、神戸市外国語大学外国語学部准教授。専門は日本近現代史・メディア文化史・歴史社会学。単著に『核エネルギー言説の戦後史 1945〜1960』（人文書院、2012年）、『大江健三郎とその時代』（人文書院、2019年）、『戦後民主主義』（中公新書、2021年）、『原子力の精神史』（集英社新書、2021年）など、編著に『近頃なぜか岡本喜八』（みずき書林、2020年）がある。

残されたものたちの戦後日本表現史

2023年2月20日　第1刷印刷
2023年2月28日　第1刷発行

著　者　　山本昭宏
発行者　　清水一人
発行所　　青土社
101-0051　東京都千代田区神田神保町 1-29　市瀬ビル
電話　03-3291-9831（編集部）　03-3294-7829（営業部）
振替　00190-7-192955

装　幀　　北岡誠吾
印刷・製本　シナノ印刷
組　版　　フレックスアート

ISBN978-4-7917-7538-5 Printed in Japan